L'HOMME QUI N'AVAIT RIEN À DIRE

PORTRAIT DE L'AUTEUR EN MEURTRIER PORNOGRAPHE

ROMAN

D1253248

PIERRE LASRY

L'homme qui n'avait rien à dire

ISBN : 978-2-9807385-1-7

Couverture : Hommage à Edvard Munch
Infographie : Haim Sherff
Maquette   : Richard de Leon
Correction d'épreuves :
Marie Ruth Des Lierres, Françoise Samuel

Dépôt légal : Avril 2011
Bibliothèque Nationale du Québec
Bibliothèque Nationale du Canada

Les Éditions Midbar
465 Chemin Dufferin
Hampstead, H3X 2Z1, Québec

Courriel : pierrelasry@hotmail.com

Du même auteur :

UNE JUIVE EN NOUVELLE FRANCE
Éditions Midbar
Prix Segal de la Littérature Française 2002

ESTHER, A JEWISH ODYSSEY
Midbar Editions 2004

DON JUAN ET LES MOULINS À VENT
Éditions du Marais 2008

L'HOMME QUI N'AVAIT RIEN À DIRE
Éditions Midbar 2009

CASA MES AMOURS
Automne 2011

Si tu n'as rien à dire, va le dire ailleurs.

Expression populaire

CHAPITRE 1

Au Café Vert, Bal Harbour, décembre 2007

Je suis écrivain.
Je n'ai rien à dire.
Lorsque j'écrivais pour dire des choses, on ne me lisait pas.
Maintenant que je n'ai rien à dire, les gens vont peut-être me lire.
J'ai fouillé dans mon sac de voyage pour voir qui j'étais et je n'ai rien trouvé. Sauf des comprimés pour le mal de dos et des gouttes pour les yeux. Et quelques objets d'un Juif apparemment pratiquant : phylactères, livre et vêtement de prière.
Comme je n'ai ni plume ni papier, j'ai demandé un stylo au garçon de café, pour gribouiller à l'endos du menu.
J'étais son premier client et il s'est empressé de me prêter sa plume pour écrire un mot.
Un mot pour me réinventer.
Il doit être le propriétaire.

CHAPITRE 2

Le Pierrot patron qui m'a prêté sa plume est un grand rouquin en salopette et bottes de construction. Sa queue de cheval jaillit de sa casquette bleue comme une cascade de rouille et disparaît au milieu de son dos. Il me sert un café vert sans prendre ma commande parce que les cuisiniers viennent à peine d'arriver.

Son stylo à bille fait la promotion d'un produit pharmaceutique. Binova. Une seule pilule, une fois par mois. Contraceptive probablement.

Voilà qui augure mal pour un travail de création, j'allais dire de conception. Mais il aurait fallu que j'écrive : Binova, pilule anticonceptionnelle. Ça m'aurait ramené loin en arrière, aux jeux de mots de mon adolescence, dont le souvenir m'aurait interdit ce qui suit.

J'écris, angoissé à l'idée que mon gribouillage censure le contenu littéraire du menu du Café Vert, mais je me rassure en le retournant. On y annonce des crêpes. Douces et salées.

Les douces sont au sucre, à la confiture, aux fruits frais ou confits, au chocolat et au tatin, mot doux dont j'ignore le sens. Les salées sont des crêpes avec variations sur le thème pizza, garnie de fromages, de saumon fumé etc… La crêpe-pizza, un rêve de fortune rapide pour jeune français poil de carotte exilé en Amérique tropicale.

Dans son enthousiasme, le jeune entrepreneur n'a pas dû calculer le coût de son personnel de Haïtiennes au salaire minimum et d'un surveillant pour restaurant vert cacher, un grand barbu aux joues hâves, vingt ans au plus, coiffé d'une kipa en velours noir.

Il a l'air nord-africain. Il porte des *Reeboks* tout neufs et des jeans lacérés en haut des genoux, exposant un peu de peau velue. Il y a deux ans, il s'est échappé de sa banlieue parisienne à feu et à sang et a définitivement abandonné la France et sa Ville Lumière à ses cousins beurs.

J'ai compté en tout cinq employés, et mon café cacher, pas encore payé, pourra difficilement financer leur salaire minimum. Je suis entré ici par hasard ce matin pour prendre le spécial Café Vert, annoncé dans la vitrine et servi jusqu'à midi. Deux œufs, pommes de terre, café et *bagel*, le tout à $ 5.49 plus taxes et service.

CHAPITRE 3

Le passage du réel à l'écrit est difficile. Comme pour tout à l'heure, quand j'ai quitté de bon matin la chambre du petit motel que j'ai découvert sur l'Internet, avant de prendre l'avion hier, à partir de New York.

Le motel était annoncé comme un deux étoiles et demie, à une rue de la plage, avec photos en couleurs de piscine sous les cocotiers, et d'une mer bleue, pleine de baigneuses souriantes et de surfeurs musclés.

Sur place, c'est un petit motel décrépi, humide, en marge d'une autoroute, semi-désert, à un kilomètre de toute vie marine ou citadine, mais proche des eaux inter-costales infestées de hors-bord et de requins.

La piscine minuscule a l'air abandonnée. Elle est rose pastel, bordée de bleu, vaseuse et en forme de cœur. Pour les cocotiers de la publicité, ils ont été balayés par l'ouragan Katrina. Une enseigne peinte à la main « Motel à vendre par le propriétaire » plantée devant l'entrée, complète le tableau.

Où en étais-je ? Ah, oui ! Le passage du réel à l'écrit.

Comme tout à l'heure, avant que je ne quitte la chambre du motel en quête d'un *greasy-spoon* cubain pour prendre mon petit déjeuner, et avant que je n'atterrisse à ce Café Vert Cacher. En français sur l'enseigne.

Elle avait l'air encore vivante dans son bain. Elle bougeait normalement en tout cas. Elle. Pas le personnage de ma fiction. Elle, ma femme, la vraie dans la vie, qui aime prendre son café du matin dans sa chambre.

Devant le miroir embué de la salle de bains, il y a une petite cafetière automatique posée sur un plateau de plastique blanc, avec des petites enveloppes roses de succédané de sucre et de crème en poudre à base de soja. Mon épouse garde toujours dans son sac des petits biscuits à la crème de noix de coco.

Si ça donne une impression de vieux couple, détrompez-vous. Cela fait quatre mois que nous nous sommes mariés, et ma femme n'a pas la trentaine. Moi, le café de salle de bains me dérange, il me rappelle la prison. Elle trouve ça bien pratique, elle que le bruit du climatiseur qui me rend fou ne dérange pas. Elle qui, tout à l'heure quand je rentrerai et qu'elle retapera mes notes gribouillées n'importe où, sur n'importe quoi, dira sans me regarder dans les yeux :

-Je me moque de ce que tu écris, mais je ne veux pas que tu me tues comme dans l'autre livre, celui qui ne s'est pas vendu.

- Un jour, le public me lira.

- Je ne te demande pas ce que tu écris ou pourquoi. Tu es entièrement libre. Mais je ne veux pas que tu me tues.

Alors vous comprenez le dilemme. Un personnage mort dans une fiction précédente, qui revient me dire : je ne veux pas que tu me tues dans ton nouveau livre, ça fait comme une censure.

D'abord, je ne l'ai jamais tuée, elle est vraiment morte de mort naturelle dans l'autre livre. En fait, peut-être pas de mort naturelle-naturelle, mais pas morte de ma main, je veux dire. Je sais de quoi je parle, c'est moi qui l'ai écrit.

En fait, elle n'est pas le personnage qui est mort. C'est l'autre dont j'étais tombé amoureux qui est morte.

Mais mon épouse ne mélange pas tout, elle est fine. Elle a vite compris ce qui se cachait derrière mes personnages féminins.

- Fais ce que tu veux, tu es libre.

Juste, ne me tue pas.

CHAPITRE 4

Je suis au Lido Palace, au bord de l'immense piscine du cinq étoiles. Je fais face à une mer agitée et au soleil qui s'est levé dramatiquement il y a une couple d'heures. Mon corps est exposé au soleil qui tape. Ma tête à l'ombre est protégée par un parasol en feuilles de palmes.

Une dizaine de ces abris exilés des Caraïbes entourent le plan d'eau surchauffé. On peut voir briller des panneaux solaires sur le toit du club de gym de l'hôtel.

Une gitane en bikini vient s'allonger sur une chaise longue, pas loin de moi, l'air en feu. À vingt ans, elle est grande, d'une minceur confortable, ample de poitrine et de cuisses. Sa peau couleur d'étain laisse transparaître par endroits quelques rares mais gracieux ombrages de cellulite.

Elle ne porte ni maquillage ni tatouage. Elle est sans colliers, sans bagues, et n'est percée d'aucun anneau mettant à jour quelques desseins cachés. Une femme vivante, plus occupée à être qu'à paraître.

Elle me dévisage franchement. Deux yeux noirs, immenses, intenses, lancéolés comme deux feuilles de myrrhe, écartés en v sur un nez finement aquilin, nez déposé avec force et délicatesse entre deux pommettes saillantes.

Ukrainienne, Cubaine ?

Nos sièges sont disposés à angle droit et pourraient se toucher sans effort d'imagination. Elle ouvre la bouche pour parler, mais laisse échapper un silencieux gémissement alors que son dos agité se moule dans la chaise de plastique blanc qu'elle n'a pas recouvert d'une serviette de bains. Elle ferme les yeux.

Au bout de son souffle, elle relâche ses genoux pliés et passe sa main sur le galbe de son ventre et le haut de ses seins. Puis tournant bellement son visage angulaire vers le mien, elle ouvre ses paupières pour me regarder, comme si elle voulait boire à l'eau même de mes yeux.

Ses cheveux noirs à lourdes boucles, suivent le mouvement de sa tête. Rideau d'algues ballotté par le ressac d'une mer calme, ils se balancent langoureusement une fois vers la plage de ses yeux, une fois vers la mer de ses épaules.

Le vent porte jusqu'à moi la rumeur d'un parfum féminin, alourdi d'huile de palme, piqué de vanille. Le mélange me hérisse. Excessif. Vulgaire.

Comme en transe, la gitane referme ses paupières papillonnantes, exhalant une sorte de râle à deux voix, qui émerge à la fois de sa matrice et de ses cordes vocales. Elle sombre à un autre niveau du réel, laissant sa bouche entr'ouverte sur un soupçon de langue.

Je me dis qu'elle est juste une étudiante ou une femme d'affaires fatiguée, épuisée même, venue se reposer un instant au bord de la piscine. Les Américains travaillent trop. J'éloigne mon transatlantique de plastique du sien en prétextant l'aligner sur la course du soleil pour garder ma tête à l'ombre.

Quelque chose que je ne vous ai pas dit sur moi, c'est que je suis d'une taille au-dessus de la moyenne et que depuis mon adolescence les femmes trouvent mon physique plutôt attirant. Je ne sais pas pourquoi. Peut-être parce qu'à vingt-six ans, on me dit souvent que j'ai la musculature fine et allongée d'un danseur classique. Moi, je trouve mon corps plein de défauts. Mais allez discuter avec les femmes. Je n'y comprends rien.

Quand j'étais enfant, ma mère me répétait souvent :

- Alex, arrête de te regarder dans le miroir. Si au moins tu étais beau...

Ma mère était l'une des plus belles femmes que la terre ait jamais portée. Elle s'y connaissait en beauté.

Et surtout ne me faites pas parler de mon père si vous ne voulez pas que je vous fiche mon poing dans la figure. Pourtant ceux qui me connaissent savent que je suis d'un tempérament pacifique.

Je dois me détourner de cette femme, de cette agression sensorielle et je me remets tranquillement à mon livre ennuyeux, curieusement élaboré.

Une interminable enfilade de clichés, un labyrinthe de courts chapitres au suspense bien structuré. Vous avez reconnu, je suis sûr, ce *best-seller*, le Code de Fibonacci ou je ne sais trop de quel autre titre prétentieux on a affublé cette brique assommante. Quarante quatre millions de lecteurs, voilà qui ne me fait pas envie. Sérieusement, je préfère, de loin, être un auteur qu'on ne lit pas. Au moins j'ai loisir d'écrire ce que je veux…

Bon ! J'ai pris ma dose de cette recette pour succès commercial garanti. Je marque la page de mon livre avec la petite flèche de plastique surmontée d'un cupidon. Elle était fichée dans l'olive qui a servi à remuer mon Martini, alcool apéritif qu'il ne me viendrait jamais à l'idée de consommer, mais offert par Carlos, mon copain du gymnase.

La coupe de plastique transparent est maintenant vide, posée sur le petit guéridon blanc à côté de mon *best-seller* de vacances. L'olive est toujours là dans le fond du verre, solitaire. Mon grand père maternel disait, *chez nous, on ne mange jamais une seule olive, sauf si on est en deuil*. Il est mort sans me dire pourquoi.

CHAPITRE 5

Je me lève pour aller au gymnase prendre un peu d'exercice. Parfois je fais quelques minutes de bicyclette fixe pour regarder les nouvelles sur CNN. Pour le reste la gymnastique ne me dit rien. Les poids et haltères, toutes ces machines chromées et compliquées sont sans intérêt pour moi. Même si ceux qui m'observent pensent que je passe ma vie à faire de la musculation.

Carlos le gérant du gymnase du Lido, est un cubain aux traits fins, dans la vingtaine. Aujourd'hui il est inquiet :

- Regarde, me dit-il en anglais, le plus beau festival de Jazz au monde.

Il me montre sur l'écran de son ordinateur portable un tourbillon de photos de jazzmen provenant des quatre coins de la planète, qui dansent sur un panorama de la ville de Montréal.

- C'est un grand festival de Jazz, je lui dis.

Il renchérit avec une fierté propriétaire :

- *Best in the world*, mais je ne sais pas ce qu'il se passe avec Jacinthe-mon-amour. C'est la première fois qu'elle ne répond pas à mon *e-mail*…

- Tu ne m'as pas dit où elle habite.

- On s'écrit tous les jours, des fois, deux-trois fois par jour… On se voit tous les trois-quatre mois, une fois elle, une fois moi. Avec l'avion c'est facile. Où elle habite ? À Saint-Hyacinthe, c'est près de Montréal…

- Tu dois savoir qu'autour de la Noël il y a de grosses tempêtes de neige au Canada, et fréquemment le téléphone ne fonctionne pas pendant deux ou trois jours…

- Mon ordinateur n'est pas branché sur un téléphone, ni le sien… Ça fait deux jours qu'elle ne téléphone pas, qu'elle n'écrit pas.
- T'inquiète pas. *Carlos, te va a llamar hoy, la Jacintha…,* elle va t'appeler. Quand il y a une panne d'électricité causée par un orage, elle dure au plus trois jours.
- Même son téléphone portable est débranché.

Carlos est très beau, très négroïde, aussi finement musclé que moi, mais beaucoup plus petit, un Apollon miniature. Sauf ses jambes. J'oubliais ses jambes. Elles sont énormes, de vrais troncs d'arbres. Ses cuisses et ses mollets sont hypertrophiés comme chez certains culturistes. Ça lui donne l'air, quand il marche, d'un canard qui s'enfarge dans ses palmes.

- *Hombre!* Peut-être que son cellulaire n'est pas débranché. Simplement, il n'y a plus de courant. On ne peut pas recharger les batteries d'un portable pendant une panne d'électricité.

Il n'aime pas que je lui parle en espagnol et me répond toujours en anglais avec un accent de Boston où ne traîne aucune trace du slang des ghettos noirs. Il trouve peut-être mon espagnol condescendant…

En plus, il travaille dans ce cinq étoiles à temps partiel. Il prépare un Bac en *Business Administration.* Il a une certaine classe dans le geste et la parole et avec moi, il dit toujours *Jacinthe-mon-amour* en français.

Jacinthe, sa pierre précieuse de Saint-Hyacinthe, s'est-elle trouvé un *chum* québécois à présenter à ses parents pour la Noël, en remplacement de son *beach boy* de vacances ?

Je le rassure :

- Carlos, l'amour à distance a ses inconvénients, mais c'est ce que tu voulais.

Même s'il a peur de perdre sa fleur des bois, il reste macho :

- À cette étape de ma vie, me dit-il, j'ai fait le bon choix. Je n'ai pas besoin d'une relation avec une femme collante qui s'accroche à moi.

Et là, il fait une grimace qui dévoile sa dentition magnifique, étincelante, carnassière, et crispe ses doigts comme un prédateur qui ne lâche pas sa proie.

CHAPITRE 6

- Ça fait cent fois que vous me demandez de recommencer depuis le début. Je ne suis pas stupide. Vous attendez que je change un détail dans mon histoire pour me coincer. Je peux changer les mots, l'ordre ou l'importance des évènements, mais la vérité est simple :
Ce n'est pas moi !
Je peux vous raconter cent fois la même chose différemment mais la vérité ne peut pas changer.
- Alors Alex, tu ne dois pas avoir peur de recommencer.
- Je suis fatigué, d'accord, mais je n'ai rien à cacher.
- Alors, on reprend depuis le début. Okay... vas-y, j'enregistre.
- L'air du sauna est brûlant et j'arrive à peine à m'asseoir sur le banc de cèdre surchauffé. Mon dos grille au contact du mur sur lequel je m'adosse et, par réflexe immédiat, je me lève et couvre mon visage d'un linge humide pour me rafraîchir.
- Alex ? Tu changes encore ton histoire. Tu n'as jamais parlé de linge humide...
- Quoi ? J'en ai jamais parlé ? Ces petites serviettes sont posées sur un dispensaire, devant le bureau de Carlos, juste à l'entrée du gymnase. J'en prends une pendant que lui joue avec son ordinateur.
Donc, je vous disais, je suis dans le sauna. Je couvre mon visage avec cette petite serviette et là, tout arrive très vite :
La porte du sauna s'ouvre brutalement avec un bruit métallique et se referme. Lorsque j'ôte le linge de mon visage, la gitane de tout à l'heure est là, debout devant moi.
Une folle. Échappée d'un asile, sûrement.

Elle me pousse sur le banc, s'assoit à cheval sur moi. Place sa main dans le soutien gorge de son maillot de bain et me tend un petit carré d'aluminium.

- *Quick !* Elle me dit en anglais, avec une intonation espagnole.

Elle place sa main derrière ma nuque et me mord le cou jusqu'au sang, regardez, j'ai encore la marque. Et je ne sais plus ce qui se passe ensuite, puisque je vous le dis... Quoi ?

- Alex, arrête et pense à ce que tu dis. L'homme qui l'a tuée l'a mordue au cou jusqu'au sang.

- Moi, c'est plutôt le contraire. J'ai trop peur des femmes pour faire un truc comme ça. Je vois plutôt la femme comme un vampire qui aspire le sang des hommes...

Le deuxième policier déclare que les caméras de sécurité de la piscine me donnent raison.

- Elle est entrée au sauna après vous. Mais, ajoute-t-il, ça ne vous donne pas le droit de la tuer.

- Je suis bien d'accord avec vous.

- C'est elle qui vous a suivi d'abord aux toilettes, ajoute le flic numéro deux.

-Aux toilettes ? Je n'ai aucun souvenir d'y avoir été, encore moins que quelqu'un m'y ait suivi.

- Elle a essayé, mais n'est pas entrée aux toilettes, elle est retournée à sa chaise longue. Ensuite, elle vous a suivi au sauna.

- Alors, Carlos, mon copain du gymnase a du témoigner... pour valider ma version des faits.

- Non, Carlos n'était plus là, apparemment, quand la fille est entrée au sauna. Les caméras montrent qu'il s'est absenté quelque temps avant qu'elle n'arrive. On le voit revenir avec des serviettes propres après que vous soyez sorti avec la fille.

- Moi ? Sorti avec la fille ?

- Oui, on vous voit parfaitement avec elle prendre l'ascenseur qui va de la piscine à sa chambre.

- L'ascenseur, sa chambre ? Je n'ai aucun souvenir de cela.

- Il y a un ascenseur qui ne s'arrête pas dans le hall de l'hôtel, que les gens en maillot de bains empruntent. Directement de la piscine. De toutes façons, c'est clair que la fille vous a suivi volontairement.

- On peut même dire que c'est elle qui vous a provoqué, et relancé.

- Une belle femme. Mais ça ne vous donne pas plus le droit de la tuer.

CHAPITRE 7

Avant le procès, Lieberman, mon avocat, m'a dit que l'agresseur a laissé des empreintes de dents sur le cou de la fille. Empreintes qui n'étaient clairement pas les miennes. J'ai de toutes petites canines... presque des quenottes. C'est quand même une preuve...
Lui, il lui a arraché la carotide avec ses crocs de loup et l'a laissée mourir dans sa chambre. Dans l'eau chaude de son bain, quelle horreur !
Mais ça n'a servi à rien. Les tests d'ADN étaient formels. Mes cheveux, mes cellules, se retrouvaient partout sur son corps, et à l'intérieur aussi...

CHAPITRE 8

Je n'ai qu'un seul souvenir de cette fille, un rêve, un fantasme plutôt... Je la possède dans sa chambre d'hôtel pendant qu'un homme le visage couvert d'un masque, vous savez ces masques pour occulter la lumière qu'on vous donne dans les avions avec des bouchons de cire pour les oreilles... cet homme masqué dort. Il est allongé sur le sofa, en face du lit où je chevauche la gitane qui me supplie, sa main sur ma bouche, pendant que je l'investis, que je traverse son espace intime, de ne pas faire de bruit, de ne pas réveiller l'autre.

Je l'ai dit à la police.
Ils me l'ont fait écrire.
Ils ont pris ça pour des aveux.

CHAPITRE 9

J'ai passé huit ans en prison, pour une histoire qui ne me concernait pas. Condamné à treize ans de pénitencier, j'ai été relâché pour bonne conduite après huit ans. Enfin sept ans et neuf mois.

Mais moi, au contraire des autres types en prison, je me suis toujours senti coupable. Alors que j'étais innocent.

Dans la cellule de neuf mètres carrés que je partage avec trois autres prisonniers à sécurité maximale, à Folsum, au Nouveau Mexique, à l'est des Montagnes Rocheuses, personne n'est coupable. Sauf moi.

Nick le Grec, qui prêtait de l'argent aux *losers* du Casino d'Atlantic City au New Jersey, est innocent du meurtre d'un de ses clients. Même si un autre d'entre eux s'était apparemment suicidé deux ans auparavant de façon identique. Enfin, une apparence de suicide, vous savez…

Le classique du type soûl qui meurt asphyxié dans son garage avec son moteur de voiture allumé, après avoir soutiré un maximum d'argent de ses proches, de sa banque et de ses cartes de crédit.

Jamieson, le Jamaïquain de Philadelphie, n'a jamais tué ni enterré dans un boisé sa plus jeune prostituée de dix sept ans.

- *Man, she was finished…* Elle était malade, foutue, qui aurait voulu tuer une *crackhead*… Plus un client en vue… même gratuitement les hommes ne voulaient pas d'elle. Qui aurait fait une chose aussi stupide ? Tuer une fille qui ne rapportait plus rien, et qui allait crever toute seule de toutes façons…

Hellwin, c'était vraiment son nom, un vendeur occasionnel de voitures usagées et de pièces détachées, aux cheveux longs, blonds et sales, au regard fuyant, n'avait rien fait. C'était la faute à pas de chance. La faute de ses parents, de l'école, des familles d'accueil, des travailleuses sociales, de la police, du jury, du juge, des agents de probation et surtout de son avocat de l'aide juridique. Si seulement il avait eu de l'argent pour un bon avocat... Regarde ce maquereau de OJ. Simpson ! Lui, il était coupable...

Mais Hellwin, lui n'avait rien à voir là-dedans...

- Un couple de vieillards assassinés pour dix-sept dollars, plus une télé noir et blanc merdique, et je n'ai même pas servi comme chauffeur de la voiture dans laquelle les vrais tueurs ont pris la fuite. Un d'eux m'a mouchardé pour une réduction de peine... J'avais juste piqué le véhicule...

Moi, je me sentais coupable pour eux. Moi qui n'avais pas commis de meurtre. Et se sentir coupable quand on est innocent, c'est l'enfer.

Mais la vie en prison, c'est pire que l'enfer. Quand on va en enfer, en général on sait pourquoi ; mais l'enfer gratuit, le règne du mal absolu, sans cause ni raison, ça c'est l'Enfer de l'enfer.

La prison c'est d'abord l'effacement, pas juste du sens, de la simple décence ; c'est l'effacement de la frontière entre le bien et le mal ; l'effacement de toutes les frontières. Toutes. Effacées exprès pour torturer, pour punir.

Au début, il y a l'effacement des frontières du bruit, puisqu'il n'y a pas de murs. Juste des barreaux, et tout résonne, tous les sons sont mêlés, rien n'est détaché. Aucun bruit ne s'appartient en soi. Sonorités aliénées... incestueuses. Un univers où les sons, comme des bêtes sauvages d'espèces et de règnes différents se confrontent, s'agressent, se griffent, se mordent et copulent entre elles. Sodome et Gomorrhe, l'enfer sonore.

Ensuite l'enfer spatial. Il n'y a pas un centimètre carré à vous en prison. L'espace entre vos doigts de pieds dans vos chaussures ne vous appartient pas, ni l'air entre vos cheveux, ni les parties internes de votre corps. Le lit où vous dormez peut être envahi, au milieu de la nuit, par des forces animales, inhumaines, occultes et meurtrières.

L'effacement enfin des frontières extérieures de votre propre corps qui ne vous appartient plus, dans le sommeil, aux toilettes, pendant la marche dans les couloirs, dans la cour, sous la douche et même pendant le rêve.

Moi, je suis arrivé à m'en sortir, de la sodomie je veux dire, grâce aux conseils de mon avocat qui m'a défendu *pro bono*, à son corps défendant. Il était sûr de ma culpabilité, mais il voulait m'aider.

Après ma condamnation, il est venu me visiter une ou deux fois avec de la nourriture pour la Noël et les fêtes, plus une grosse quantité de pilules contre le VIH, qui n'étaient que des suppléments de vitamines et de minéraux déguisés en remède contre le sida.

La nouvelle s'est répandue très vite jusque dans les cachots d'isolation, et les hommes démons de la nuit m'ont foutu la paix… Mais vous avez compris, je cachais mes pilules, je les prenais en cachette, je ne voulais pas qu'on me soupçonne d'être infecté. Façon certaine d'avoir la paix. Parce qu'en cellule on ne peut rien cacher, pas même les pensées les plus intimes que l'on cache aux autres.

En dernier, en prison, il y a la confusion du temps… Il n'y a pas de temps distinct. Rien. Le jour c'est la nuit, la nuit le jour ; et, comme une malédiction, les trois repas qui rythment la journée sont les mêmes. Matin, midi, soir, le même pain blanc, le même café infect, la même bouillie indigeste. Et le sommeil qui passe du jour à la nuit, ni le jour ni la nuit, sans jamais franchir une frontière de repos.

Alors vous comprenez, la confusion des sons, la confusion de l'espace, particulièrement de l'espace intérieur de votre intériorité, de votre âme, de votre intimité propre qui ne vous appartient plus, tout cela ajouté à la confusion du temps… c'est comme une folie, si vous voyez ce que je veux dire.

L'enfer.

CHAPITRE 10

Ma femme Elinor m'a sorti de l'enfer il y a quelques mois. Elle m'a épousé par correspondance, après six semaines d'échange de courrier électronique, dont un mois de cour assidue. C'est elle qui m'a fait la cour, c'est elle qui m'a poursuivi sans relâche ; moi, je ne sais pas comment faire avec une femme.

Elle faisait partie de la John Howard Society, et on a correspondu grâce à *Pen Pals, section pénitenciers fédéraux*, qui mettait un ordinateur à notre disposition dix minutes par jour, privilège exceptionnel pour bonne conduite.

Il y a quatre mois, c'est elle qui m'a attendu à ma sortie du trou. Avec une petite japonaise à bi-énergie, cadeau de mariage de sa mère hospitalisée, un petit appartement à Greenwich Village, un costume gris en laine peignée sur mesure, deux paires de chaussures, six chemises, des chaussettes et plein de sous-vêtements, tout ça sur mesure. Elle est financièrement indépendante. Son père gagne beaucoup d'argent en vendant du matériel de sécurité à l'armée américaine. Aux trois corps d'armée.

Aujourd'hui, elle ferait tout pour moi, même si elle pense que je suis un assassin. Pour elle, j'ai payé ma dette à la société. Mais aussi, je crois qu'elle est tombée amoureuse d'une nouvelle que j'avais écrite avant d'aller en prison, publiée dans le *New-Yorker Magazine* et qui avait été bien reçue à l'époque. « L'agent orange ». Un truc un peu autobiographique sur la première guerre du Golfe, Bush père.

Moi, je n'avais rien à perdre. Pas une femme en vue depuis huit ans. Le père d'Elinor lui a demandé pourquoi tu vas dans les poubelles pour te trouver un homme ? Je suis d'accord avec lui, même s'il ne connaît pas toute l'histoire. Parce qu'appeler la prison la poubelle du monde c'est dire la vérité. Mais il n'a jamais voulu me rencontrer. C'est vrai qu'avant moi, elle a eu une ribambelle d'hommes plus timbrés les uns que les autres. Écrivains drogués en rémission à Tanger, peintres anonymes alcooliques à Baja California, même un poète new-yorkais qu'elle a accompagné pendant un an, à la gare du dernier train pour le sida.

Mais avant de faire du sauvetage à plein temps, elle était une *socialite* new-yorkaise assez en vue. Elle s'occupait de subventions pour les musées, trouvait des bourses pour de jeunes peintres qu'on ne regardait pas, des musiciens qu'on n'écoutait pas et des chorégraphes pour aveugles. Elle ne s'ennuyait pas.

En tous cas, je suis revenu en Floride avec elle, parce qu'en prison j'ai rencontré un autre Cubain, copain de Carlos, qui m'a dit que Carlos du gymnase, Carlos Noriega, avait été condamné pour trafic d'héroïne, et qu'en sortant de prison, il s'était acheté un bar dans les Keys, et qu'il y avait plein d'artistes canadiens et québécois qui le fréquentaient.

Patrick Huard, paraît-il, lui aurait emprunté son yacht pour aller à la pèche au tarpon en haute mer. Après qu'il eut gagné son Oscar…

Alors si vous ne comprenez pas ce passage du temps de Carlos au présent-fiction, et le vrai Carlos du Gymnase qui a fait de la prison dans le passé réel pour une histoire de drogue, et que je suis revenu voir en Floride, ce n'est pas grave.

La fiction se nourrit des fois de la réalité, et des fois on survit à la réalité grâce à la fiction. Comme en prison ou en littérature. Ne vous sentez pas malmené par cet aller-retour passé présent, fiction et autrement. Laissez vous aller, comme moi j'ai fait dans ma cellule pendant sept ou huit ans. Prenez la confusion comme elle vient.

Sans ça mon bouquin risque de vous rendre fou, comme j'ai failli le devenir en prison. Et ne croyez surtout pas que je fais exprès. Que je calcule mes mots pour faire de l'effet. Pour manipuler vos sentiments, comme le font certains écrivains à succès. Pas du tout. C'est comme ça que j'écris. C'est comme ça que c'est arrivé.

La vérité.

Et vous avez le droit de vous demander pourquoi j'écris quand je n'ai rien à dire.

C'est une question importante. Je n'ai rien à prouver, j'ai payé ma dette de culpabilité à la société. J'écris pour moi. Pour ne pas devenir cinglé. Je me répète, mais je m'en fous. Je ne cherche pas à faire de l'effet.

J'écris pour moi, comme une bouteille à la mer.

Si une promeneuse ou un promeneur solitaire trouve ma bouteille sur une plage déserte, libre à lui ou à elle d'ouvrir et de lire.

Ou de me rejeter à la mer.

CHAPITRE 11

Ah, oui ! Je devais vous donner la recette pour ne pas devenir fou.

Après ma condamnation, avant mon transfert à Folsum, on m'a mis dans un pénitencier de l'Arkansas, à sécurité moyenne. J'avais deux compagnons de cellule qui travaillaient à l'atelier de métallurgie attaché à la prison. Une matrice de bruit infernal, enfermée dans le placenta d'un grondement volcanique.

Amusez-vous à fabriquer vos propres images sonores, éruption de lave, tremblement de terre, explosion atomique, etc., que vous encaissez d'abord par les extrémités, les pieds, les mains, le cuir chevelu, par le ventre ensuite, enfin par le cerveau.

Ça vous donnera une idée.

Mes compagnons d'infortune gagnaient chacun trois dollars et dix neuf par journée de travail de huit heures. En partageant leur cellule, j'ai beaucoup appris sur l'enfer.

L'enfer, pas juste en prison. L'enfer dans la vie de tous les jours, la vie de toute personne. Notre vie à nous. Votre vie à vous.

À l'atelier, dans ce creuset souterrain, de grandes lames d'acier suspendues du plafond s'abattaient inexorables sur le sol et ses habitants.

À l'atelier, on fabriquait des barreaux de prison par extrusion pour toutes les prisons de l'Arkansas, et si vous trouvez la métaphore de prisonniers qui fabriquent les barreaux d'acier de leurs propres prisons trop forte, attendez…

Mes compagnons de cellule étaient Johny Rose, condamné pour meurtre et tentative de meurtre. Un Blanc de la Caroline du Sud qui habitait un village de roulottes propre et bien organisé à Pensacola, en Floride. Ouvrier spécialisé dans la construction de plafonds acoustiques, il avait assassiné de sang froid son patron qui l'avait mis à la porte. Il avait aussi tenté d'éliminer sa secrétaire, témoin gênant.

Mike Oneida, un indien d'une réserve Choctaw du Texas qui habitait la maison de son père, avait été condamné pour agression armée causant la mort de son futur beau-père dans des circonstances aggravantes.

CHAPITRE 12

C'est là, dans cette prison de transit, que j'ai rencontré Rav Zusche l'aumônier, qui passait une fois par mois pour parler de mystique à ceux qui osaient s'inscrire à ses conférences à la bibliothèque de l'institution.

Première conférence au titre accrocheur : Madonna et Kabbala. Pourquoi cette italo-américaine qui chante fort avec les sous-vêtements vieux d'un siècle de la plus vieille profession du monde, pourquoi cette catholique comme moi, de mère québécoise comme moi, se mêle-t-elle de cabale ?

Ceux qui avaient le courage de se manifester en postant leur nom sur une liste collée à la vitre blindée de la porte de la bibliothèque étaient l'objet de sarcasmes voilés de la part des gardiens, et de quolibets plutôt expressifs de la part des autres prisonniers. En plus de l'épreuve de l'inscription, assister aux cours de Rav Zusche était une autre épreuve d'initiation.

J'y suis allé par dépit plus que par défi. Mon père détestait tellement les Juifs qu'il ne pouvait même pas les nommer. Il disait seulement… *eux… les bâtards*, comme s'il crachait par terre sans desserrer les dents. Moi, j'étais curieux, le mal m'intéressait, les femmes aussi. Et mon père semblait attribuer au mal une origine double et trouble, comme à l'absente féminité de ma mère.

Ce que Madonna révèle dans son déshabillement en dit-il plus long que sur ce qu'elle cache ? La Kabbala, au contraire de Madonna, dévoile-t-elle vraiment une partie cachée de la Révélation ?

Zusche, sans me connaître, m'a dit, à cause de la nature de mes questions, que j'avais une âme juive. D'abord c'est quoi une âme, et en plus, juive ?

Zusche m'a expliqué aussi qu'on est Juif seulement par sa mère quand je lui ai dit que je savais que ma mère s'appelait Réubéni et qu'elle venait de Turquie. Ma mère, ce mal incarné que je n'ai pratiquement pas connue. Elle a disparu du ciel de mon quotidien pour habiter la Hollande avec un autre homme quand j'avais six ans. Pour moi enfant, Réubéni c'était un nom italien. L'Italie, la Turquie c'était voisin sur la mappemonde. Et les Italiens étaient tous catholiques, comme moi.

- Alex, ton âme est juive !

En tant que Canadien Français, c'était la première fois que je me faisais traiter de Juif. Une insulte, quoi ! Petit, je savais vaguement que mon père détestait ma mère parce qu'elle appartenait à la tribu maudite. Tribu que je croyais être celle des femmes, présentes et absentes. De toutes les femmes.

Ah, l'absence de ma mère, ce lieu troublant du non-dit, cette chose qui manque à l'homme depuis sa naissance, son double, son image inversée, quelle ordalie masquée et permanente ne m'a-t-elle pas fait subir dans toutes mes tentatives de rencontrer l'autre moi, la femme.

Et comme j'ai toujours pensé que j'étais ce que mon père était, parce qu'on ressemble tous aux parents qui nous élèvent, pas à nos parents absents, j'ai vu tout d'un coup, comme un raz de marée, l'absence de ma mère tout balayer sur le passage de mon existence, inonder les rives jusque-là intactes de mon identité, détruire l'arbre et la frondaison de ma sécurité, et laisser à sa place une souche énorme, noueuse, tourmentée, de trois mille ans plus vieille que celle de mes ancêtres québécois de vieille souche.

Mais ma mère n'était pas juste une absence. Elle était un vide. Immense. Bruyamment infernal. Un réservoir plein du mal qui règne sur le monde. Un lieu de haine et d'horreur. Moi, tout d'un coup, à l'adolescence, sans me rebeller, je suis devenu ma mère imaginaire.

Rav Zusche m'a appris d'abord que le judaïsme n'était pas une religion, mais une façon d'agir pour changer le monde, une façon de se transformer soi-même. J'ignorais tout des valeurs spirituelles de mes ancêtres maternels et, à part une crainte viscérale de dévoiler mes origines honteuses, je savais vaguement que la nation à laquelle on me forçait d'appartenir avait survécu à nombre de tentatives d'élimination par toutes les nations d'Occident.

Toutes. De façon active ou passive, pendant les vingt derniers siècles au moins. En plus, j'avais été éduqué dans un système scolaire laïque où la laïcité n'avait pas vraiment pardonné aux Juifs la fiction d'avoir assassiné le dieu des Chrétiens. Alors, croire en même temps qu'un homme peut tuer dieu et n'être qu'un survivant de la bêtise humaine, ça n'est pas une identité, si vous voyez ce que je veux dire.

En prison, au fond du puits sec de mon exil, la seule eau qui coulait claire provenait d'un robinet fixé sur le mur de béton de ma cellule et tombait droit dans des toilettes d'acier inoxydable sans siège. Alors, n'importe quelle information sur mon passé était source bienveillante.

Mais je mélange tout. Je dois d'abord vous parler de mes compagnons, ceux dont j'ai appris les règles de l'enfer.

Mike Oneida et Johny Rose, un Indien et un Blanc d'à peu près le même âge, qui fabriquaient les mêmes barreaux d'acier pour les prisons de leur esprit et pour les autres prisons de l'état de l'Arkansas, pour exactement le même salaire, purgeaient la même peine pour avoir tous deux cédé à la colère.

Mais même s'ils partageaient le même espace de neuf mètres carrés, ils vivaient dans deux univers différents.

Johny Rose vivait en enfer. Il avait le regard et la parole mauvais. Le monde entier avait une dette envers lui, qui ne serait jamais payée.

Mike l'Indien célébrait chaque instant de sa journée comme un cadeau du ciel. Sa bouche était un chant, son œil une bénédiction. Et je ne fais pas de la métaphore bon marché avec le mythe du bon sauvage.

Je dis la vérité. Il avait le génie des êtres vraiment civilisés. Le génie de la gratitude.

Cela m'a pris des mois et des années pour comprendre et assimiler la leçon. Il a d'abord fallu que je change de pénitencier et que j'en sache plus long sur la face cachée de mon identité bifide pour mettre à profit ce que j'avais appris.

Voilà. Vous savez tout sur l'enfer à l'intérieur d'une prison comme en dehors.

Ou vous en savez au moins autant que moi.

CHAPITRE 13

Quand on m'a transféré à Folsum, un jeune gars de dix ans mon cadet a remplacé l'aumônier Zusche, kabbaliste de l'Arkansas.

Pendant sept ou huit ans, j'ai étudié une fois par semaine avec lui, la Bible, les Prophètes et le reste. Au début dans une traduction anglaise de King James dont la langue chatoyante avait déplacé le théâtre de la Bible de son lieu de naissance, au Moyen Orient, à la cour royale d'Angleterre.

Ensuite, j'ai pu décoloniser ces textes et les lire dans leur langue d'origine, en assemblant péniblement une à une, les vingt-deux consonnes qui avaient participé à la création du monde.

Mon maître avait alors dix-sept ans. J'en avais vingt-sept.

Comme un nouveau-né, j'ai balbutié, ânonné, puis gauchement chanté ce solfège aux notes sacrées, pour reculer ma montre à l'heure du commencement.

À propos de mon père, c'est là que j'ai cessé de correspondre avec lui. Je vous dirais plus tard pourquoi...

Les années passèrent.

Quand j'ai commencé à comprendre Le Texte avec ses commentaires, chaque fois que je répétais avec mes mots ce que j'avais compris de ceux qui étaient venus avant nous, Rav Shemtov, son nom veut dire maître du bon nom, me regardait avec douceur et, sans me reprendre, il me disait :
- Non.
Pas parce que j'avais tort.
- Non.
Je n'avais pas tort.
Ou que j'avais mal compris.
- Non.
Je n'avais pas mal compris.
- Non.
Parce qu'avant d'écouter et de recevoir la parole de l'Autre en mon nom, je ne redisais pas avec les mêmes mots ce que l'autre avait dit.
- Non.
Je répétais ce que moi j'en avais compris.
Il me disait toujours :
- Non.
Et continuait paisiblement sa lecture, ininterrompue depuis trente trois siècles.
Ça m'a pris des années et des années pour comprendre ce *non*.
Avant de répéter textuellement la parole de l'Autre, d'en comprendre le contexte, ensuite de faire miens contexte et parole, je sentais au plus profond de moi, le besoin impérieux de dire ce que j'avais entendu du Verbe.
Il en allait de ma survie.
C'était comme une peur de disparaître.
Si je n'étais le début, le milieu et la fin, j'étais mort.

J'ai fait longtemps le pied de grue dans l'antichambre du Temps, mon soulier droit coincé au seuil de l'enfer.

Alors, vous qui jugez ma pauvreté d'esprit, ma faiblesse de caractère, dites-moi comment vous faites, vous, dans un dialogue, pour plonger tête en avant vers l'abîme. Comment faites-vous ce saut de l'ange, pieds joints dans le vide, pour aller à la rencontre de l'autre ?
Moi, à l'idée, j'en suis mort de peur.
C'est pour cela que, des fois, je préfère une mort lente en prison à la mort subite du contact avec l'inconnu.

Et ne venez pas me raser avec vos discours moralisateurs :
Il faut accepter l'autre pour Lui, le miroiter, il faut s'effacer devant Lui.
L'effacement du moi… NON.

Vous n'êtes pas dans mes bottes, vous ne savez pas ce que cela représente pour moi.

C'est comme une noyade, c'est comme une asphyxie.
Vous comprenez, je dois dire non.
C'est la seule vérité sur moi que j'ai apprise au contact du Maître du bon Nom.

CHAPITRE 14

Un jour, Rav Shemtov prit en pitié la souffrance que m'occasionnait son Non. Et il me dit :
- Les Sages disent que la prière, c'est l'Être Humain qui parle au Nom, à Celui hors le temps.
L'étude, c'est Lui qui parle à l'Être Humain, hors l'espace.
Et dans les sphères célestes, quand Le Nom parle aux anges, pour Lui montrer qu'ils L'ont entendu et compris, leurs chants de louanges, leurs Alléluias, leurs Amens, ne sont que silence.

Ce fut son dernier cours.
Je ne l'ai plus revu.
Il s'était probablement marié.
Il avait dû dire *oui* à quelqu'un d'Autre.

Mais, à propos du silence, n'ayez crainte. Je crois que je suis complètement athée, vous comprenez ?
Comment croire à Celui qui sera là, après la fin du temps ?
Qu'est-ce qu'Il faisait avant le silence du temps du commencement, alors qu'Il remplissait tout l'espace ?
Et moi, dans tout ça ?
Dans quel silence, dans quel espace, serai-je quand je ne serai plus là ?
Et où étais-je avant que tout cela commence ?
NON…

CHAPITRE 15

Demain je pars seul pour les Florida Keys. Je n'aime pas voyager en solitaire, mais ma femme a une tonne de notes du roman à transcrire et elle se plaît bien dans sa chambre. Elle peut regarder une télé à cent soixante dix chaînes, dont deux françaises, une de France, où elle ne manque jamais « Tout le Monde en Parle » de Thierry Ardisson, et « Un gars une fille au Québec » dont la langue la fascine et la fait rire, mais pas de la façon condescendante des Français de France.

Je ne vous l'ai pas dit, mais ses parents l'ont envoyée en pension en Suisse dans un lycée français pour enfants riches. Moi, je pense en français mais j'écris en anglais. Ce que vous lisez est une traduction. Un peu comme ma personne. Ce qui vous autorise à vous demander de quoi j'ai l'air dans ma version originale… J'arriverai bien un jour à répondre à cette question.

Avec mon épouse, on parle toujours anglais, même si elle me croit doué pour les langues parce que j'ai appris l'arabe en Irak, et qu'à part un hébreu primaire, je parle assez bien l'espagnol et j'ai appris l'allemand sur le tas quand j'étais basé en Allemagne à Solingen. J'essayais de lire Emmanuel Kant et sa Métaphysique des mœurs dans sa langue d'origine. J'ai appris l'allemand, mais je ne comprends toujours rien à Kant. Ah, oui ! Le Pashtoun... Après trois mois à Kandahar, je parlais l'Afghan couramment. C'est facile, c'est une langue indo-européenne.

Il y a un petit centre d'achats, à un kilomètre au sud du motel, avec un supermarché Publix, sur l'avenue Collins, où ma femme trouve tout ce dont elle a besoin. En plus elle peut visiter à pieds une copine qui habite Bal Harbour avec laquelle elle a étudié les Beaux-Arts au collège Vassar.

Une amie dont le système de communication sur son yacht de plaisance qui mouille dans le chenal devant sa maison coûte plus cher que la Ferrari et la Rolls, parquées dans son immense entrée de gravier rose sans flamands, bordée d'auguste palmiers royaux aux troncs gris marquise.

Avant que nous partions de New York, Lily s'est bricolé un petit sac à dos en soie noire dans lequel elle fourre tout. Son mini ordinateur, ses provisions de la journée et son nécessaire de plage. Elle a ce côté incroyable. Elle peut passer une journée entière, contente de manger une noix de coco ramassée sur le sable. Et ensuite commander le jet de son père pour aller visiter sa mère malade à Scottsdale, en Arizona.

Le gérant du motel qu'on ne voit pas souvent, m'a trouvé une petite Ford neuve, en location pour une semaine, à un taux avantageux. Mais il me faut prendre la navette de l'aéroport de Miami pour aller la chercher.

Elinor a fouillé dans les bottins téléphoniques et sur l'Internet sans trouver trace du nom de Carlos Noriega dans toute la Floride. Moi, j'ai cherché dans les prospectus touristiques posés sur la tablette à côté du bureau du gérant au milieu d'annonces d'excursions tout compris pour aller voir des singes, des serpents, Blanche Neige et les Sept Nains, des aras, des crocodiles, des orques ou des dauphins, pour aller jouer à la roulette dans un Casino de nuit en haute mer ou pour faire des croisières d'une journée aux Bahamas.

Je n'y ai pas trouvé l'adresse du bar de Carlos dans les Keys pour la bonne raison que je n'en connais pas le nom.

Mais le Cubain en prison m'a dit qu'il se trouvait à une centaine de kilomètres après Key Largo, sur la Nationale 1, entre Marathon et Pine Key, juste à côté d'une succursale de la chaîne de restaurants de fruits de mer appelée *Reefers*.

En prison, un *reefer* c'est une cigarette de marijuana, monnaie d'échange universelle dans le système carcéral américain, et seule clé pour s'en évader. Le *Reefers* de la chaîne de restaurants doit faire référence aux poissons et fruits de mer emprisonnés dans les récifs de corail et qui ne s'en évadent que pour finir dans votre assiette.

Je ne sais pas pourquoi, mais j'ai envie de vous dire que *reefer* rime avec *lifer*, un autre mot qu'on entendait toujours en prison. *Lifer* fait référence à ces hommes condamnés à mort, dont la peine a été commuée à perpétuité, ou à ces hommes condamnés à une, deux ou trois vies, à cent cinquante ou trois cents ans.

En prison comme en dehors, nous sommes tous des *lifers*. Condamnés à la prison de la vie. Un film où tout le monde joue, dans un cinéma dont personne ne sortira vivant. Ce qui ne vous explique pas pourquoi je tiens à retrouver Carlos Noriega.

Depuis mon procès, j'ai souvent essayé d'entrer en contact avec lui, mais sans succès. Il était mon dernier lien avec ma propre normalité avant mon incarcération. J'ai toujours eu le sentiment qu'en le revoyant, j'allais reprendre le fil de ma vie avant la prison. Un retour à l'innocence qui ne m'habite plus mais dont le spectre me hante encore.

Carlos n'est pas venu à mon procès parce qu'on ne l'a pas invité à témoigner. Les images des caméras de sécurité de l'hôtel, avec leurs codes chiffrés, donnent la date précise de l'histoire du sauna au trentième de seconde près.

Témoignage plus crédible pour la Cour que celui d'un employé d'hôtel absent des lieux.

Et mon avocat n'avait certainement pas eu besoin de faire témoigner Carlos sur ma personne, en tant que *character witness* comme on dit en anglais.
Même si Carlos m'aimait bien, il n'en savait pas plus sur moi que j'en savais sur lui et sa pervenche des neiges. Sa *Jacinthe mon amour*.

CHAPITRE 16

Les Keys.

Par beau temps, la route de Miami aux Keys est fastidieuse. Trois cents kilomètres en ligne droite. Au milieu d'un désert océanique, un ruban double de béton relie ci et là quelques récifs marécageux sur lesquels surnage un enchevêtrement de végétation primordiale. Des palétuviers rabougris plongent leurs racines aériennes dans l'eau de mer et servent d'ancres à ces radeaux de corail à la dérive.

Moi, les ancres qui m'empêchent de partir dans les décors c'est d'abord Elinor, sans laquelle je n'écrirai pas ce livre, deuxièmement, c'est ce que je sais sur l'enfer, et troisièmement, ce désir de revoir Carlos.

Sans ces trois ancrages à mon îlot désert, je crois que je passerais le parapet du pont au prochain tournant et traverserais en vol plané, avec la voiture neuve, à travers le mur invisible d'une autre réalité.

À Folsum, Brad, un anorexique filiforme dans la vingtaine avait l'air d'une créature marécageuse sortie de son milieu naturel. De sa poitrine écrasée à son bassin projeté en avant, il formait un S élégant qui se terminait sur les revers rivetés de ses pantalons à pattes d'éléphants. Il les avait cousus lui-même en cellule pour les faire ressembler à la queue d'une sirène.

Il travaillait à l'annexe agricole du pénitencier et avait réussi à voler une énorme seringue qui servait à inoculer les vaches. Lorsque nous étions seuls, je montais la garde pendant qu'il retroussait la manche de sa chemise bleue de

44

taule et dévoilait un bras décharné, ravagé par les sévices passés.

Avant de s'injecter avec cette seringue monstrueuse des doses mortelles de substances extraites de toutes sortes de produits chimiques de la ferme, il me regardait avec un rire nerveux et disait :

- J'essaie de me débarrasser de cette enveloppe pour passer à autre chose de plus élevé.

Mais je crois que Brad n'essayait pas de passer à quelque chose de plus éthéré, sans ça, il aurait cousu des ailes à ses omoplates décharnées. Non, sa queue de sirène était destinée à l'entraîner vers les bas-fonds vaseux d'un rêve sous-marin sans espoir d'oxygène.

La végétation des Keys me fait penser que, partout ailleurs, la Floride est honteuse de ses origines. Ailleurs que dans son aspect primitif marécageux, la Floride essaie de se masquer, de se conformer à un rêve de touriste. Un décor de cinéma.

Imaginez des îles sous le vent, avec leurs palmiers royaux, leurs agaves, leurs cocotiers et leurs cyprès aériens qui ondulent au bord d'une eau d'azur. Parsemez de quelques danseuses tahitiennes en exil et projetez la fiction en cinémascope sur un ciel étoilé en plein jour…

Comme Brad qui voulait effacer Folsum à grands coups de seringue, que serais-je si je n'écrivais pas ce livre pour fuir mon quotidien ? De quoi aurais-je l'air, si je n'avais jamais été en prison comme vous et moi ? Qui serais-je si je n'avais pas été kidnappé, enfant, par des forces maléfiques, hors de mon propre marécage ?

À quel autre niveau élevé du réel est-ce que j'aspire vraiment ? Être écrivain ? Certainement pas. Comme tout le monde, j'écris pour qu'on oublie quelque part qui je suis. Un *lifer*. Que la vie est mortelle.

45

CHAPITRE 17

Après deux heures de route, j'émerge de la Baie de Floride infusée d'émeraude pour pénétrer dans l'infini bleu foncé du Golfe du Mexique. À peine éveillé de sa sieste, le golfe prépare son lit pour un coucher de soleil sans prétentions artistiques. L'Atlantique à ma gauche est serein.

Passé Marathon Beach, l'autoroute s'envole céleste au-dessus d'un océan aux quatre coins duquel, il n'y a aucune trace de terre. Juste un double ruban de béton suspendu dans le ciel, sur lequel on a étalé beaucoup de goudron.

Puis, émergeant des vagues turquoise, apparaît un paysage dévasté. C'est ce qui reste de l'îlot de Big Pine Key, frappé de plein fouet par l'œil crevé de l'Ouragan Katrina, dernière impératrice de tous les vents.

Pas un arbre debout, plus une seule maison recouverte d'un toit.

J'arrive finalement au fameux restaurant de la chaîne Reefers, ruiné par l'air en furie et la mer démontée. Ils se ressemblent tous, comme les Mc Donald, sauf qu'ici on mange du poisson. Aujourd'hui, c'est un chantier de démolition en phase finale et l'équipe d'ouvriers qui s'affaire tranquillement me dit que bientôt le restaurant sera en reconstruction.

Sans trop d'effort, je trouve le nom du bar de Noriega qui apparaît en retrait dans une crique. L'enseigne en métal au bord du chemin défoncé est encore debout, fière, mais blessée après une bataille perdue.

Charlie's Point.

Au fond, la crique aménagée en marina est maintenant naufragée.

Charlie's Point. J'aime ce nom à double sens. Ça fait plus romanesque que Punta Carlos ou Cayo Carlos, version cubaine de Charlie's Key. Mais à la différence des autres sites ravagés par vent et eau salée, c'est un amoncellement de ruines passées par le feu.

Après trois heures de route sur un pont où il est impossible de s'arrêter, je n'en peux plus. Je descends de la voiture et m'en vais uriner sur le chicot d'un cocotier décapité, face à la marina.

CHAPITRE 18

Charlie's Point

Ce soir, je vais me coucher sans manger. Le prochain poste d'essence est à vingt minutes de Charlie's Point et on m'a dit qu'on pouvait y trouver de la bière et de quoi casser la croûte. Mais je suis fatigué, et comme le véhicule a des sièges inclinables, je vais me reposer un peu. Je chercherai un motel plus tard.

Après deux heures de sommeil tourmenté, mon dos est coincé. Je mets longtemps à sortir de la voiture à quatre pattes pour arriver jusqu'à un arbre déraciné qui est confortablement allongé sur la plage. Je décide de passer le reste de la nuit à la belle étoile.

Hurlant assez fort pour couvrir le grondement des flots, j'arrive à m'adosser au géant terrassé, laissant l'humidité du sable me pénétrer. Le froid devrait anesthésier mon dos. Les moustiques, les brûlots, les puces de sable ajoutent une distraction à ma douleur.

Grelottant, à bout d'efforts, je retourne en rampant à la voiture. Je fouille, mais ne trouve pas de quoi me couvrir, sauf un imperméable de plastique jetable, oublié dans la malle arrière par le précédent locataire. Je m'en enveloppe pour veiller face à la mer, adossé à la portière du véhicule qui sent la graisse, le plastique et l'amiante.

Avant le lever du soleil, cassé en deux, je me lave les yeux et les mains à l'eau salée et me sèche au vent. Enroulé dans mon châle de prière, je prononce quelques remerciements au moment même où l'astre émerge des flots, par gratitude envers un univers qui fonctionne malgré l'existence de la douleur.

Je n'ai pas voulu ouvrir mon sac pendant la nuit, pour ne pas prendre de pilules pour mon dos, et je n'ai donc pas pensé à ce vêtement frangé que j'ai revêtu pour faire mes exercices matinaux. J'aurai pu me couvrir avec pendant la nuit, mais il est tout rapiécé, ce châle qu'on appelle un tallith.

Pourquoi rapiécé ? Histoire, que peut-être un jour j'écrirai, qui a commencé le 11 Septembre 2001. Quand le monde occidental a basculé dans le vide souterrain, creusé par l'érosion de ses valeurs de Justice et de Démocratie. Cette Histoire a commencé bien avant, il y a trois ou quatre mille ans, à l'heure des Pharaons, qui croyaient que la fin justifiait les moyens, que la force représentait la morale.

Mais l'essentiel, c'est qu'au début de mon séjour en prison, le jeune *Maître du Bon Nom* m'avait fait cadeau de ce vêtement à franges, et que les *Black Muslims,* très actifs en prison, en avaient pris ombrage. Pour eux, j'étais un apostat, un traître à la vraie religion. Pour le reste, on était tous, Chrétiens inclus, des singes et des cochons.

Ils considéraient, Coran à l'appui, que les Juifs s'étaient tous rétroactivement convertis à l'Islam à cause de leur ancêtre Ibrahim, Abraham, de ses descendants, de Youssouf, Joseph, de Mousa, Moïse, du Roi Daoud, David, et Salman, Salomon, qui étaient tous devenus musulmans deux mille ans avant la naissance de Mohamed et de l'Islam.

Dans cette conversion rétroactive, cette révision militante de l'histoire, ils incluaient un autre Juif, nommé Yéchu, divinisé par certains Chrétiens, qui, lui aussi s'était converti à l'Islam, sans le savoir, pour devenir un prophète arabe palestinien de mère palestinienne, arabe aussi, mais pas nécessairement vierge.

Mais la conversion de Yéchu et la virginité de sa mère Mariam n'étaient pas de mon ressort. Il y avait à Folsum, un groupe hyperactif de Baptistes, de *Newborn Christians* et d'Adventistes qui pouvaient remettre les pendules de l'histoire à l'heure chrétienne. J'avais d'autres chats à fouetter avec une bande de *Muslims* sur les bras. Ou plutôt sur le dos.

Ce matin du 11 septembre, en fait c'était le lendemain, ils m'ont battu pendant que je priais, pendant que je me joignais à l'infini de l'Autre Hors Le Temps, dans l'espace fini de ma cellule. Alors que je riais à gorge déployée, ils m'ont arraché mon habit à franges, l'ont déchiré en douze morceaux qu'ils ont distribué aux plus méritants. Suivant l'inspiration d'un de leurs maîtres nommé Farrakhan, ils en ont fait des chiffons pour essuyer leurs chiottes.

Apparemment, ce Farrakhan, dont j'ignorais tout, était obsédé par la merde et les fosses d'aisance. Tout territoire hors les frontières de ses dogmes appartenait à la fange, parce que lui, ange, ne chiait point.

C'est en luttant avec les *Black Muslims* pour garder mon habit à franges que j'ai attrapé mon mal de dos. Et je riais, je riais… Ils m'ont cassé le nez et abîmé le rein droit, ce qui me cause de fréquents besoins d'aller uriner. Pour mon nez, je m'en fiche, ça ne se voit pas.

- Ils me disaient : allez, chante ! Danse ! Puisque tu crois savoir rire et prier !

Moi je riais, parce que verruckt en allemand veut dire cinglé, et Khan, en afghan, c'est le chef. Quand on ignore tout d'un autre, c'est facile de l'insulter. Je riais, ils cognaient. Et moi, j'insultais.

- Farrakhan, le roi des cinglés…
- Danse, chante…

Moi, je riais. On peut rire, mais comment voulez-vous chanter ou danser en exil, en prison ?

J'ai beaucoup ri, c'est ça l'humour juif. Comme l'humour noir, c'est un humour d'esclave… On ne peut pas redevenir sérieux tant qu'on n'est pas devenu libre.

C'est ce que disait Rav Zusche, et quel choc ça a été pour moi. Je riais, je riais pendant qu'on me battait parce qu'il m'avait fait comprendre que tout était à l'envers dans le monde réel. Que ma haine des Juifs, celle de mon père ou celle des *Muslims* c'était l'envers de quelque chose que je n'avais pas encore découvert.

Je riais à cause de tout ce qui m'avait choqué dans la conférence de Zusche sur Madonna et Kabbala.

On ne peut pas être un homme libre si l'on voit les Juifs comme responsables des malheurs du monde. On vous dit qu'ils sont derrière toutes les guerres ? Ils en sont les premières victimes, avait dit Rav Zusche.

Ils ont assassiné Dieu? Ils l'ont plutôt révélé au monde!

La preuve que tout est à l'envers ? Les nazis les accusent d'être communistes et les soviétiques d'être des capitalistes.

Tout à l'envers ? Imaginez le choc pour moi !

Encore les Juifs, disait mon père en regardant les nouvelles, haussant les épaules, vaincu.

Il souffrait. *Eux… les bâtards*, étaient partout. À la tête des grandes papetières, des sociétés minières et forestières, dans la finance, dans l'information, en politique. Surtout en politique. Tous les grands partis étaient vendus à la cause des intérêts juifs, qui luttaient contre l'Indépendance. Je souffrais avec lui. Nous Québécois étions encore des esclaves à cause d'eux. Je souffrais pour lui d'être dans un monde où la place qui lui revenait de droit lui avait été spoliée par ces autres. Mon père avait raté sa vie à cause de la toute puissance de cette engeance. Mon père pensait comme les Blacks. Ils disaient en me cognant :

- Les Juifs sont derrière les attentats du 11 septembre. Ils sont derrière toutes les guerres.

Moi, j'ai longtemps cru en mon père qui était croyant comme tout le monde autour de nous. Il faut que vous sachiez aussi que j'ai été baptisé catholique romain et apostolique, que si j'ai été confirmé, je n'ai heureusement pas été abusé sexuellement comme certains de ceux qui ont *flushé* leur religion, c'est-à-dire tiré la chasse d'eau des toilettes sur leur christianisme. Je vous ai déjà dit comment je suis devenu, ou plutôt redevenu Juif. *Un traître à tes origines,* m'a écrit mon père dans sa dernière lettre.

Mais tout était à l'envers, selon Rav Zusche.

- *On ne peut pas être libre tant qu'on ne l'a pas compris. Que ceux qui s'attaquent aux Juifs depuis deux ou trois mille ans d'histoire sont contre la morale, contre la conscience, contre l'histoire. Ils sont contre la source de la morale. Contre le père.*

Ça m'a fait drôle d'entendre ça. Contre le père.

- *Quand on est contre la pensée morale de l'Occident chrétien et de l'Orient musulman, qu'on soit fasciste ou extrémiste toutes tendances confondues, on ne peut être qu'anti-Juif. Même quand on s'appelle Klein ou Chomsky. Parce que l'Occident n'est pas né au Péloponnèse ou à Byzance, non, il est né autour de Babylone, engendré par les prophètes d'Israël,* disait Rav Zusche.

Imaginez-vous en train de penser à tout ça pendant qu'on vous cogne dans la vapeur glauque de la buanderie d'une prison. Surtout que, parmi les Blacks, il y en avait de très costauds, qui passaient leur temps à lever des haltères.

Ceux qui m'ont passé à tabac, ne voulaient pas me lâcher tant que je ne leur avais pas dit que je n'étais qu'une merde et que ma foi n'était que merde.

Mais j'ai tenu le coup. Je leur ai crié en riant que la merde appartient aux intestins de tous les êtres humains, y compris les leurs, et que ceux qui apparemment ne chiaient pas comme leur leader appartenaient au royaume des morts.

- Farrakhan, roi des cons, des constipés, roi du caca…

En plus, tout ce qui doit vivre et se reproduire, tout ce qui doit pousser, doit passer par un cycle de merde, de décomposition, de fermentation, avant de bourgeonner, de fleurir et de donner des fruits.

Mais ça, je n'ai pas pu le leur dire. Quand on gueule parce qu'on a mal, même en riant à perdre le souffle, ce n'est pas comme quand on est devant un bout de papier et que l'on peut réarranger la réalité comme ça nous convient.

Mais n'ayez crainte, on n'a pas commencé de guerre de religion à Folsum.

Quand je suis sorti de l'infirmerie, les *Muslims* sont tous devenus mes copains.

Comme pendant presque huit ans, je me suis payé la lecture de toute la bibliothèque du pénitencier, j'ai pu montrer aux Musulmans le passage dans le Coran où il est écrit que, dans le doute, le bon *Muslim* doit retourner aux sources : La Torah, le Livre de Moïse. La Bible, un *bestseller* plus fort qu'Harry Potter.

Fallait voir leur visage quand je leur lisais le Coran en arabe, qu'eux suivaient dans une traduction anglaise :

Sourate 6 versets 154, 155 :

Allah, Dieu, a transmis à Moïse la Torah, Livre complet et béni...

Sourate 7 verset 137 :

Allah a fait hériter au peuple juif la Terre Sainte, de l'Ouest à l'Est du Jourdain, incluant Jérusalem. Toutes les promesses de Dieu aux enfants d'Israël se réaliseront.

Sourate 45 verset 16 :

Grâce à ses dispositions pour la prophétie et la justice, le peuple juif est l'élu d'Allah.

Remarquez que cette dernière Sourate est pénible, quand on sait que le mot élection rime avec coups de poing et coups de pied, avec la correction que j'avais reçue.

Pour les Sourates, surtout ne me croyez pas. Ouvrez le Coran et lisez par vous-même. Les Chrétiens et les Juifs n'y sont pas toujours des singes et des cochons.

Et à force d'approfondir la Torah, le Livre du Commencement, il y a beaucoup de Musulmans qui ont voulu se convertir, mais moi, je ne fais pas la guerre sainte, sauf contre moi-même. Et quand je pars en guerre contre moi-même, je ne prends pas de prisonniers.

Chacun dans sa cellule.

À chacun sa voie.

CHAPITRE 19

À six heures du matin, mon dos enfin dérouillé, j'ai pris la voiture, fait le plein d'essence, et j'ai roulé quelques minutes vers Big Pine Key. Là, j'ai vu au bord de la route, une espèce de roulotte-restaurant, chromée comme un fuselage d'avion, posée sur des blocs de ciment. Je me suis arrêté pour y déjeuner.

La salle était déjà pleine. L'équipe de démolition du Reefers était là. Ils m'ont reconnu. Le gars avec une ceinture de charpentier que tout le monde appelait *Jésus* en espagnol, probablement le contremaître, m'a demandé si j'étais avec la compagnie d'assurance. Je n'ai pas su quoi répondre. Mon silence l'a convaincu, et je l'ai vu faire des signes discrets à ses compagnons *Chicanos*.

Il n'y avait plus de place dans le restaurant, et les Mexicains m'ont fait signe de m'asseoir avec eux. Ils mangeaient une omelette de maïs, poivrons et oignons du restaurant, avec des tortillas qu'ils avaient apportées avec eux. Ils buvaient une bière mexicaine dont j'oublie le nom, qui est la Corona des pauvres.

Je leur ai parlé en espagnol. Ça leur a fait plaisir, mais ils avaient plutôt peur d'ouvrir la bouche, même en espagnol.

Passé Big Pine Key, j'ai trouvé un motel qui tenait encore debout, j'ai appelé Elinor à Miami et je suis allé dormir un peu.

Dans l'après midi, je suis retourné au chantier de Reefers pour saluer les gars de la démolition et je leur ai apporté une petite caisse de Corona. Ils étaient bien contents. J'ai bu avec eux et j'ai demandé au contremaître si je pouvais emprunter une pince monseigneur pour examiner les murs du bar de Charlie's Point.

Il m'avait assigné un rôle d'inspecteur pour une compagnie d'assurance et je voulais être poli. En me souriant avec ses grandes dents endommagées, il m'a dit :

- Voilà mon coffre à outils, prends ce que tu veux, mais tu le rapportes avant six heures. On ferme le chantier ce soir et on prend la route tout de suite après.

Je suis allé inspecter la ruine calcinée de Charlie's Point avec ma pince monseigneur, et j'ai fait des trous dans les murs qui tenaient encore. J'ai creusé jusqu'aux fils électriques à plusieurs endroits. Aucune trace de surchauffe. Incendie criminel, je n'en sais rien, mais en tout cas pas d'origine électrique.

La foudre peut-être.

À cause de l'ouragan Katrina, la toiture de béton s'était effondrée sur le premier étage en craquant à différents niveaux. Un trou béant laissait voir une jungle de poutres métalliques et de madriers en bois écrasés au-dessus du bar, de la cuisine et de la salle de jeux.

J'ai fouillé en faisant attention de ne pas marcher sur les clous rouillés avec mes mocassins en veau, souples comme des pantoufles, cadeau de Lily à ma sortie de prison.

Fouillé, fouillé, fouillé, mais je n'ai rien trouvé.

CHAPITRE 20

J'ai fait encore une petite sieste dans la voiture grâce aux pilules. Vers cinq heures *Jésus* le contremaître est venu me réveiller avec sa camionnette pleine d'ouvriers assis et debout, en klaxonnant bruyamment les premières mesures de la *Cucaracha*. Il m'a sorti d'un vieux rêve raconté à la police il y a huit ans.

Il m'a lancé une pince monseigneur endommagée à laquelle il manquait une dent.

- Tiens, prend celle-là ! Tu peux la garder, j'en ai plus besoin...

- Moi non plus, j'ai fini, tiens reprends la tienne. Je croyais que vous finissiez le boulot à six heures...

- Mes *compagneros* ont faim. On a terminé plus tôt et on n'a pas mangé depuis six heures ce matin.

Je sors de ma voiture et je lui donne sa pince. Il me montre la vieille par terre :

- Jette la quand tu as fini. Elle vaut plus rien, mais elle est encore bonne pour creuser.

Je ne sais pas ce qui m'a pris, mais je me suis rapproché de lui pour que ses ouvriers n'entendent pas, et je lui ai dit à l'oreille :

- Regarde, je ne suis pas envoyé par une compagnie d'assurance. Je cherche Carlos Noriega, c'était mon copain, il y a huit ans que je ne l'ai pas vu. J'étais en prison. Il faut que je le retrouve.

Il s'est mis à crier :

- Carlos ? C'était mon copain à moi. C'est moi qui ai construit son p... de bar. Demande autour tu verras, c'est moi qui lui ai construit son p... de bar.

Il sort la tête par la fenêtre et demande à un des hommes debout dans son camion :

- Hé, Lopez, dis-lui, toi ! Qui c'est, qui c'est, qui a construit ce p… de bar ?

Et Lopez se met à sourire bêtement pour acquiescer.

Et le contremaître ajoute :

- Viens prendre un coup avec nous, on va à la roulotte de ce matin.

- D'accord.

- Laisse ta voiture, je te ramènerai. Après manger, il faut que je les laisse à Pine Key, ils ont un autobus à prendre. Ils doivent aller ramasser des oranges.

Monte !

Il a bousculé sa ceinture de charpentier, des paperasses, des plans, un gallon d'eau, un restant de pizza froide et des cannettes de boissons gazeuses sur le siège à côté de lui et il m'a fait de la place. En position assise, son ventre distendu poussait entre les boutons de sa chemise. J'ai grimpé dans la cabine de son camion, supervisée par une vierge Marie fluorescente, affolée, dansant au bout de son ressort, comme un diable qui a perdu sa boîte.

Dans la roulotte en inox, on a bu de la bière américaine, on a mangé du mérou grillé avec des piments de Cayenne et des tortillas que les ouvriers avaient cuites sur leur chantier. Après avoir lâché les ouvriers à leur autobus à Pine Key, Jésus, sous l'œil agité de sa mère, m'a parlé de Carlos sur la route.

CHAPITRE 21

Il m'a dit comment il avait travaillé presque gratuitement pour construire le bar de Carlos, et comment ils étaient devenus copains.

Quand il me ramène à ma voiture, à Charlie's Point, il sort de son camion, et me dit :

- Viens.

Il marche vers la Marina, aujourd'hui un enchevêtrement de pontons renversés, de carcasses de voiliers défoncées, irrécupérables.

- C'est là que les bateaux s'arrêtaient. La marchandise venait de Colombie par le Canal. Quand j'ai compris, j'ai engueulé Carlos. *Cogno !*, je lui ai dit, tu gagnes bien ta vie avec le bar !

Jésus s'arrête, me regarde dans les yeux un moment et il secoue la tête :

- Mais il y avait quelque chose de tordu chez lui.

Il continue et me montre une ruine en blocs de ciment. Une ancienne guérite. L'entrée est un trou béant. Les panneaux de la double porte coulissante ont dû être soufflés loin au large. Je passe la tête dans le noir. On distingue une rampe de béton qui descend en pente douce avec à droite, un escalier. D'en bas, remonte un renvoi de vapeur nauséabonde, goudron et pourriture.

- Là, j'ai construit un abri souterrain de 3800 pieds carrés avec un plafond de vingt pieds, pour entreposer et réparer les bateaux. Le c..., il en a fait un entrepôt de came à la place.

Il secoue la tête devant le gâchis.

- Quand la rumeur a couru qu'il allait transformer la coke, qu'il allait construire un labo..., aux Keys, ici, c'est petit, tout se sait vite. Les Feds l'ont arrêté avec un chargement complet, saisi le bar, sa voiture, son bateau et ils ont mis le tout aux enchères.

Carlos a pris un bon avocat et ils ont laissé tomber les charges pour la construction du labo de cocaïne.

Carlos s'en est tiré avec le minimum, cinq ans pour importation, et quand on l'a mis en taule, il a envoyé son copain canadien acheter le bar aux enchères pour trois fois rien. Le Canuck l'a géré pendant deux ans jusqu'à Katrina.

Il crache par terre :

- C'est l'Inspecteur des Incendies qui me l'a dit. Pour lui, c'est le Canadien, qui a fichu le feu pendant l'ouragan, pour toucher le fric de l'assurance.

- Pourquoi ?

- Parce que même si ça tenait debout chez lui, autour, dans Pine Key, tout était démoli. Après l'ouragan, les touristes ne reviendraient plus. La faillite... Il avait raison, regarde Reefers, un an après, c'est pas encore reconstruit. Carlos a foutu le camp au Canada après la prison, après trois ans, aux deux-tiers de sa peine.

- Où au Canada ?

- Pas la moindre idée. Si jamais tu le rencontres, tu lui diras salut de la part de Jésus Harp, et qu'il est le roi des c... *Adios* et bonne chance.

Il m'a donné sa carte d'entrepreneur en rénovations, une carte racornie et fanée, et il est reparti avec son camion sous le regard bienveillant de sa mère. Je suis resté planté là, estomaqué.

Pourquoi suis-je venu perdre mon temps jusqu'ici, si Carlos était au Canada ?

Pour avoir la conscience tranquille, la journée suivante, j'ai joué à Sherlock Holmes. Avec la vieille pince monseigneur de Jésus abandonnée sur le sable, j'ai réussi à me frayer un passage à travers la brique, pour visiter le bar, la salle de jeu, les dépendances. J'ai passé Charlie's Point au peigne fin pour trouver un signe, une adresse, ne serait-ce qu'un numéro de téléphone inscrit sur les murs des toilettes.

Rien. Mais rien. Je n'ai trouvé aucune piste qui menait à Carlos.

CHAPITRE 22

Je suis arrivé ce même soir à Miami, après deux heures et demie de conduite dans un tunnel de lumière percé dans l'obscurité étoilée. J'ai trouvé Elinor dans tous ses états. Assise sur son lit, entourée de boites de kleenex vides, elle regardait la télé en pleurant comme une madeleine. Elle se sentait abandonnée et se demandait si elle n'avait pas gâché sa vie avec moi.

- Lily, on n'a pas gâché toute sa vie après quatre mois de mariage. Tu me diras ça dans cinq ou dix ans. Et puis c'est toi qui as insisté pour que je parte seul. Tu avais du travail, tu voulais voir des trucs à la télé, je ne sais pas qu'est-ce qui a pu tellement changer en deux jours…

- D'abord c'est trois jours entiers et deux nuits…

- Je ne comprends rien… Et en plus, tu as une copine qui habite à côté, à cinq minutes à pieds, à Bal Harbour…

Comment est-ce qu'une personne, quasiment prête à se suicider il y a quelques semaines, juste pour être avec vous, comment cette même personne pouvait-elle tout d'un coup vous regarder comme si vous étiez le diable en personne ?

Comme la voiture était louée pour une semaine, j'ai proposé à Elinor de visiter les Keys. Ça nous donnait quatre jours complets pour faire le tour jusqu'à Saddlebunch et aller voir les grands hérons blancs apprendre à voler à leurs petits. On pourrait même s'arrêter à Big Pine Key pour observer les cerfs de Virginie gambader dans une réserve naturelle.

Malgré son argent, Lily est une fille simple ; elle adore la nature.

Tôt le lendemain, on a pris la route, mais c'est elle qui a conduit à cause de mon dos. Moi, j'ai refait le trajet les yeux fermés, allongé sur la banquette arrière, bourré d'analgésiques.

Elle riait, elle chantait, elle plaisantait à chaque arrêt, en me disant qu'on était en voyage de noces.

J'aimerais bien qu'on m'explique les femmes.

CHAPITRE 23

Stock Island.

Lily et moi avons passé trois jours agréables dans une vieille auberge en pierre taillée dans le corail à Stock Island, à quelques kilomètres de Key West. Nous avons pris un traversier avec la voiture, pour nous y rendre. La chaleur, le sel, le sable, la rouille, l'humidité, tout qui colle, mais le bonheur.

Au lever du soleil, nous sommes allés voir dans la lagune les grands hérons blancs apprendre à voler à leurs petits. J'ai essayé d'apprendre à Lily comment distinguer un héron d'un autre.

- Mais ils se ressemblent tous... comment tu fais la différence ?

Il y a des gens qui vont en Chine ou en Afrique et ne peuvent distinguer un Chinois ou un Africain d'un autre. Si je ne pouvais lui apprendre la différence marquée entre tous les hérons de la création, au moins je la faisais rire :

- Regarde la monoparentale, le mal qu'elle a à contrôler son petit. Elle a dû beaucoup souffrir quand son mâle l'a larguée. Écoute la crier.

- Tu me racontes n'importe quoi... Quelle différence visible y-a-t-il entre une femelle, un mâle et une mère monoparentale ?

Avant de décoller, leurs vastes ailes tendues comme une voile, les adultes prenaient de la vitesse en pédalant au ralenti, effleurant à peine la surface de l'eau de leurs palmes. En réponse, les héronneaux pataugeaient lourdement comme des banlieusards en retard qui, sortis de leur bain en blancs peignoirs de coton effiloché, couraient après un train qu'ils allaient manquer.

Nous nous sommes surtout reposés.

Plus tard, nous nous sommes baignés sur une plage déserte, derrière l'auberge, en faisant attention aux méduses échouées sur le sable. J'ai grillé en plein air, des petits sars, péchés au bout d'un quai. Ah, l'odeur du poisson frais, grillé sur quelques fragments de mangrove desséchée... arrosé d'un filet de lime sauvage, cueillie dans les jardins de l'auberge.

Sans équipement de pêche, j'ai improvisé. En plongeant au bout du quai, j'ai décroché des coraux du fond un amas de fils de pêche emmêlés, avec leurs plombs intacts et leurs hameçons rouillés. Comme amorces, il y avait une abondance de crabes, de puces et de couteaux de mer.

Enfants, à Port aux Basques, nous inventions tout. Nos skis, nos patins à glace, nos bâtons de hockey. Je n'ai jamais été à la pêche avec une vraie canne. Ce qui ne m'empêchait pas de rapporter du poisson.

Elinor me regardait faire comme si j'étais Robinson Crusoé. Démêler le fil de nylon, amorcer la ligne improvisée, nettoyer le poisson sans couteau avec un fragment de nacre, en faire des brochettes fumées enroulées d'algues, sur un barbecue de fortune. Avec sa petite caméra digitale elle restait très discrète.

Elle sait que j'ai horreur qu'on me prenne en photo. Comme mon grand-père. C'est une vieille histoire que je n'aime pas raconter. Je trouve qu'un moment arrêté dans le temps est une sorte de mensonge. Un cliché, une pause, un instantané, un arrêt artificiel vers l'inexorable, vers ce qui change tout le temps et ne saurait être arrêté.

Je lui ai dit :

- Lily, on prend en photo le corps des gens, c'est ce qui change le plus. C'est ce qui se détériore. Mais on voit rarement un photographe prendre l'âme des gens. L'âme elle, ne change pas.

Elle m'a regardé. Et, comme une femme amoureuse, elle a rangé son appareil.

Plus tard, devant un coucher de soleil violemment éclaboussé sur toute la palette d'un ciel lavande et écarlate, j'ai dit à Lily :

- Comme c'est mon premier mariage, c'est aussi mon premier voyage de noces.

Elle m'a regardé, les traits de son visage de vierge flamande avec son front altier, liquéfiés de tendresse. Ensuite, voilée d'une nuit intérieure, la douceur de ses yeux bleus s'est pétrifiée, comme si elle avait décidé que je lui faisais un reproche. L'isthme solide qui joignait les deux mers de notre intimité s'était transformé en une barrière de gel infranchissable.

J'ai vu le feu du soleil couchant se noyer lentement, jusqu'à s'éteindre dans la brume qui couvrait ses prunelles.

CHAPITRE 25

Au retour, Elinor a voulu visiter Charlie's Point. Après avoir fait le tour des lieux, elle m'a poussé à explorer l'entrepôt souterrain. J'en avais l'intention. Avant de partir de Miami, j'avais pris, en prévision, une grosse lampe de poche, une corde d'alpiniste et l'appareil de photo d'Elinor, un Kodak jetable avec flash intégré.

Avec mon équipement de spéléologue, j'ai investi la cave. Le fond en ciment était recouvert d'immondices décomposées, de boue sablonneuse et d'eau salée puante. Je me suis assuré avec la lampe de poche qu'il n'y avait pas d'alligators dans le coin, parce qu'en Floride on les retrouve partout. Et avec un flash d'appareil photo, on peut les faire fuir.

Le théâtre des opérations sécurisé, Elinor est descendue me rejoindre dans la pénombre après avoir noué la lampe de poche sur sa tête, avec le foulard de soie·d'un grand couturier. Ensuite, avec un instinct de limier, tâtonnant dans l'obscurité à l'aide d'un bout de bois, elle a trouvé dans un renfoncement un coffre fort en acier, ouvert et vide, évidemment.

Excepté qu'à l'intérieur du coffre, collé sous la troisième étagère, il y avait un minuscule paquet de la taille d'un briquet, enveloppé dans des feuilles de papier calcinées. Méticuleusement, avec une lime à ongles, Elinor l'a décollé. Impatient, je le lui ai enlevé des mains en disant :

- Attention, on remonte d'abord avant de l'ouvrir, il ne faut rien casser.

À l'air libre, quand nos yeux aveuglés se sont habitués au soleil des Keys, j'ai vu qu'elle avait déjà ôté la lampe de sa tête. Elle est coquette pour une fille naturelle. Avec son foulard de soie dramatiquement enturbanné autour de son visage, il ne lui manquait que ses lunettes fumées brésiliennes pour avoir l'air d'une riche héritière en cavale avec son jardinier.

Nous nous sommes assis, émus, ne sachant pas pourquoi, et nous avons joué l'ouverture à quatre mains du minuscule paquet carbonisé. En l'effritant doucement, à l'intérieur, il n'y avait que trois mini-cassettes de rubans magnétiques, endommagées par la fumée.

Je les ai exposées un peu à l'air, les ai placées avec leur emballage carbonisé dans un sac d'épicerie de chez Publix, et nous sommes allés directement en voiture à l'aéroport de Miami.

Avec la carte de crédit d'une compagnie pour laquelle elle travaille officiellement comme chef-publiciste, Elinor a échangé nos billets de retour sur New York, pour un vol direct sur Montréal.

Dans l'avion, Elinor téléphone à un laboratoire d'analyses affilié à la compagnie de sécurité Knoll, propriété de son père, et me dit :

- J'espère que tu es d'accord. À l'aéroport de Miami, j'ai envoyé les mini-cassettes avec leur emballage à un labo de Boston, pour en déchiffrer le contenu et le transférer sur un disque compact. On pourrait peut-être y trouver un indice pour retracer Carlos. Ou peut-être que les papiers qui l'enveloppent portent une adresse ? D'ici Montréal nous devrions être fixés. J'ai demandé au labo de m'envoyer les résultats par Internet, aussitôt que possible.

Là, elle m'a souri. J'avais une chance incroyable d'être tombé sur elle, au milieu de trois milliards et demi d'autres femmes dans l'univers. Vraiment. C'était un extraordinaire hasard. Une bénédiction.

Ensuite, elle m'a montré un site d'orientation global sur l'Internet. Sur une carte du Canada vue d'un satellite, une image en plongée continue d'une partie du Québec se terminait au milieu de la rue principale d'un village de campagne :

- Regarde, Alex, Saint-Hyacinthe n'est qu'à une demi-heure en taxi de l'aéroport de Montréal. Pour retrouver ton copain Carlos, il ne doit pas y avoir tellement de filles qui s'appellent Jacinthe dans une petite ville comme Saint-Hyacinthe.

- Surtout une Jacinthe assassinée il y a huit ans, à Miami, en Floride. Tout le monde sera au courant.

Je vous ai dit, cette fille toute simple est extraordinaire. Elle n'arrête pas de m'étonner.

CHAPITRE 26

Saint-Hyacinthe

Tout ce qui m'arrive m'appartient. Parce que tout vient d'Ailleurs. Quand une épreuve me tombe dessus, il est de mon devoir de comprendre ce qu'on m'envoie et comment m'en servir pour avancer sur la route de mon destin.

Ceux qui blâment les autres pour leurs malheurs font le travail du mal. Et ils le font sincèrement, comme tous les intégristes, les croisés, les inquisiteurs, les soviets, les nazis, les terroristes et autres soldats de la foi. Au nom de leur croyance, ils font reculer l'histoire.

Moi, je n'ai personne à blâmer pour ce qu'Elinor a trouvé sur les cassettes. Je ne vous l'ai pas dit, mais le labo de Boston, affilié à la compagnie du père de Lily, est arrivé à récupérer quelques fragments des trois mini cassettes, en un temps record.

Les techniciens ont sauvé une centaine d'images, qu'ils ont placées sur un fichier électronique. D'après leur rapport, les emballages calcinés sont des bills de connaissement, témoins de chargements de containers de café cru en provenance de ports de Colombie, à destination du Mexique, de Haïti et de la Floride.

Mais, sur les images récupérées dans les mini-cassettes, moi, j'étais partout. On me voit dans presque toutes les scènes, en toutes sortes de positions compromettantes, c'est le cas de le dire. Je vous dis les choses comme elles arrivent. Si ça m'intéressait de faire de l'effet je vous aurais construit un petit récit avec assez de suspense pour vous garder en transe comme tous les imbéciles qui ont mordu à l'appât du Code de Mona Lisa ou je ne sais trop comment il a appelé son *best seller* à lire dans les chiottes… quoi !

Je n'essaie pas de vous surprendre. Je vous raconte la vérité, telle qu'elle est arrivée. Je ne connaissais pas ces images. Du tout. Mais j'y étais, c'était bien moi, sans doute ni discussion, sans trucages ni effets spéciaux. Et j'en étais aussi choqué que si ces images avaient été fabriquées, forgées, falsifiées.

La réaction d'Elinor m'a blessé.

Nous étions à Saint-Hyacinthe près de Montréal, dans l'unique petit café Internet de cette ville de fermiers qui sent la bouse de vaches aseptisée, quand elle a décidé d'ouvrir son courrier électronique. Son mini-ordinateur étant juste bon à recevoir du courrier simple, nous avions besoin d'une machine plus grosse, capable de décoder les photos en couleurs digitalisées, que le laboratoire de Boston lui avait envoyées.

Ces images montrent trois personnages qui évoluent dans différentes mises en scènes, dont la gitane, moi-même, et le type masqué de mon rêve, celui qui dormait pendant que je…

Quand les photos sont apparues, numérotées sur un dossier, et codées en temps réel d'il y a huit ans, Elinor en a regardé quelques unes et a fermé le dossier.

Ces images n'ont pas été un choc seulement pour moi ! Et quel choc ! Ces clichés que je n'avais jamais vus, existaient dans le monde, témoignaient contre moi, et provoquaient un tremblement sur le visage d'Elinor, mon épouse…

Le regard qu'elle a ensuite porté sur moi mêlait fascination, déception, incrédulité, trahison et finalement, mépris. Du mépris pas tant pour moi que pour sa propre personne.

71

Les clichés montraient les acteurs d'un film pornographique évoluant dans un éclairage, des décors et des accessoires typiques du cinéma amateur. Avec moi en vedette. À vingt-six ans mon corps était superbe, celui de Jacinthe, bien au-delà. Je ne m'étais jamais vu à travers les yeux d'un metteur en scène de cinéma cochon. Ni au travers des yeux d'une femme bafouée. La mienne.

L'ordinateur éteint, Elinor m'a lancé un regard que je n'ai pu soutenir. Elle a fouillé dans son petit baluchon noir, en a ressorti la carte de crédit au nom de la compagnie de son père, et m'a dit, dans un état second :

- Excuse-moi, je me suis trompée.

Moi, j'étais comme assommé. Elle s'est levée, pâle, digne, malgré son bronzage de Miami, pour ce que je croyais être un coup de téléphone à sa mère à Phoenix ou à son père n'importe où ailleurs dans le monde.

Non.

Elle a tout laissé sur la table du café Internet : cappuccino, sac, mini ordinateur et camera avec mes photos en Robinson Crusoé. Elle a tout laissé, et elle a disparu de ma vie.

Complètement.

CHAPITRE 27

Je suis retourné à la petite pension de famille, qu'ils appellent ici *Gîte du passant*, que nous avions trouvée en arrivant à Saint-Hyacinthe.

- Votre note a été payée d'avance pour une semaine, m'a dit la logeuse d'un air pincé, et madame est partie sans rien dire.

Dans la chambre, épinglée sur mon sac de voyage, j'ai trouvé une lettre blessante, pliée en trois sur un chèque pour un très gros montant.

La lettre commençait par : Mon père avait raison... et finissait par ... tout, sauf terminer ma vie avec un *has been* du cinéma porno professionnel. Elle parlait aussi d'hypocrisie, de l'hypocrisie de ceux qui veulent qu'on photographie leur âme et pas leur corps...

Le chèque n'était même pas libellé à mon nom. Non. Elinor avait vécu à Paris dans une de ses nombreuses vies antérieures, parlait parfaitement le français, et avait écrit dans cette langue un chèque en dollars américains, avec un montant à six chiffres, *au porteur*, encaissable à n'importe quelle banque canadienne.

Étourdi, je suis allé à la poste et j'ai immédiatement renvoyé le chèque, que j'ai dûment barré, sans ajouter un mot, à l'adresse de notre appartement à Greenwich Village et je suis allé me saouler dans le seul endroit où l'on vendait de l'alcool en plein jour. Un bar de danseuses.

Je ne bois jamais, mais là, ma cuite a duré jusqu'à ce que ma chambre soit louée à quelqu'un d'autre. Une Australienne, assez belle femme, qui m'a pris pour un alcoolique pendant que je faisais mes bagages.

Elle avait l'air de connaître mon histoire qu'avait dû lui raconter la logeuse, et voulait me tirer les vers du nez. Mais j'avais autre chose en tête. Je n'aime pas les femmes que les alcooliques intéressent. J'ai déjà donné, merci. L'argent liquide que je n'avais pas bu, qui restait dans le sac de soie noire d'Elinor, tirait à sa fin. Ne sachant où dormir, j'ai passé une nuit blanche dans la salle d'attente d'une station d'autobus, dans l'espoir d'une destination qui n'existait plus.

Le matin, je me suis lavé tant bien que mal et, avec une lame qui ne coupait plus, j'ai rasé à moitié ma barbe de huit jours dans les toilettes de la minuscule station. Un peu dessaoulé, avec quelques pastilles de papier de toilette sur le visage, pour endiguer les dégâts du mauvais rasage, j'ai commandé mon premier café depuis longtemps, à la cafétéria qui sentait la poussière rance, la friture à l'huile de vidange, la cannelle au mazout et la fumée d'autobus sortant droit du four à pain.

Je ne devais pas être beau à voir, à la manière dont la serveuse m'a regardé quand je lui ai demandé un annuaire téléphonique. J'ai pris le minuscule bottin de la région et je l'ai parcouru, cherchant une organisation d'entraide pour ex-prisonniers. L'Armée du Salut, la John Howard Society, qui n'existe pas au Québec, un quelconque organisme de charité, n'importe quoi, quand je suis tombé sur une étrange inscription.

A, Armée du Salut.

B, Bienfaisance, œuvre de.

C, Caritas, organisation de charité.

C, Carlos, N.

N. Carlos ? Pas C. Noriega comme dans Carlos Noriega, mais N. Carlos, comme dans Nancy Carlos.

Me raccrochant à un fétu de paille, j'ai appelé tout de suite. Je n'avais rien à perdre. Il devait être un peu avant sept heures du matin. Une voix de femme, chaleureuse, m'a répondu.

- Non, Monsieur Carlos n'est pas là, il est aux abattoirs. Qui l'appelle ? Vous avez son numéro de cellulaire ?

- Oui madame, je l'ai. Merci. Au revoir.

Je ne sais pas ce qui m'a pris de dire oui, mais j'ai cherché le numéro de téléphone d'un abattoir dans l'annuaire. Il n'en existait pas. J'ai demandé à la serveuse :

- Est-ce qu'on est loin de l'abattoir ?

- De Sainte Julie vous voulez dire ? C'est le seul dans la région.

- Oui.

- Prenez l'autobus. Vous voyez l'enseigne Rawdon en face de la rampe 5, demandez au chauffeur de vous laisser au dernier arrêt de Sainte Julie, c'est un peu plus loin sur le chemin. Il vous dira comment y aller à pieds.

Après une demi-heure d'attente et vingt minutes de trajet, il me restait encore deux kilomètres à pieds en rase campagne, à moins dix degrés. C'était assez de distance pour réfléchir un peu sur ce qui m'était arrivé il y a une semaine. Du temps pour faire le point, avant de trouver le fameux abattoir.

Pendant deux kilomètres, je me suis répété que ma femme préférait coucher dans le lit d'un meurtrier, plutôt que dans celui d'un ex-acteur de cinéma porno-hypocrite.

Elinor avait choisi d'épouser un homme qui tue dans un moment d'égarement passionnel, mais elle avait aussi choisi d'abandonner un être narcissique qui montre son nombril à qui veut bien.

Mais moi, je ne suis ni meurtrier ni pornographe.

Pourquoi avais-je donc accepté de l'épouser ? Comment aurais-je dit non, au sortir de prison à la douceur de cette féminité qui se livrait à moi sans retenue ? J'étais ému au plus haut point par ce déferlement de passion, ces cris d'allégresse qui avaient l'air d'être l'expiration d'une longue détresse. Ces cris de joie qui émergeaient de la chambre de la fiancée. Comment ne pas avoir cédé après l'exil dans la cellule de béton et d'acier ?

Mais revenons au fait que, pour Elinor, j'étais capable d'assassiner ma partenaire pendant l'acte sexuel. Étais-je pour elle, constante menace de mort, l'aphrodisiaque ultime ? Mante religieuse qui dévore son partenaire pendant l'acte de fécondation ? Sport extrême pour pauvre petite fille riche ?

Étais-je pour elle un Othello qui doit détruire pour posséder totalement ? Ou elle, une Juliette pour qui, seul l'infini récipient de la mort est assez vaste pour contenir l'absolu de son amour ?

Ça m'a rappelé un prisonnier à Folsum, Ahmadou Qoraïsh. Jeune algérien brillant, fleuron de la révolution de son pays, il professait la physique quantique comme invité à *Stanford University*, entouré d'illustres Prix Nobel. Il avait résolu sa quête d'absolu en étranglant Zahara, sa dulcinée kabyle des Aurès. Elle était venue le rejoindre, vierge à dix-neuf ans, en Californie. Ce faisant, elle avait déshonoré sa famille, et coupé des ponts de chair vive avec une tradition multimillénaire.

- Je l'ai tuée parce que je ne pouvais pas supporter l'idée qu'elle m'aime comme ça, comme une folle.

- Pourquoi Ahmadou ?

- Tu comprends pas ? Tu es bête ou quoi ? Moi aussi, je l'aimais comme un fou. Mais si elle m'aime à moi, Ahmadou, alors elle est très capable d'aimer un autre

76

homme comme ça. Alors j'ai préféré la tuer avant que ça arrive, avant qu'elle en aime un autre.

Avec son charmant accent pied noir, sa logique implacable de physicien, Dr Qoraïsh m'ouvrait des perspectives vertigineuses sur la complexité des passions humaines.

Si Elinor me prenait pour un vrai meurtrier et un narcisse hypocrite, acteur de cinéma cochon, elle avait tort dans les deux cas, en ce qui me concerne. Et moi, comme elle, je détestais le narcissisme et l'hypocrisie. Et j'étais aussi d'accord avec son père pour la prison poubelle de l'humanité. Mais moi, alors, moi, pourquoi ne suis-je pas d'accord avec moi-même, alors que je suis parfaitement innocent de ce dont on m'accuse ? D'où me vient ce sentiment de culpabilité ?

Je n'ai aucune dignité ou quoi ?

Je ne sais absolument pas comment j'ai fait pour atterrir au milieu d'un film porno comme vedette principale. C'est moi, c'est bien moi, sur ces images ! Mais je n'ai rien à voir là dedans, je ne suis pas fou.

Finalement, c'est peut-être moi qui ai tué cette fille.

Je suis peut-être un meurtrier…

Bon, alors, pourquoi comme meurtrier est-ce que je me sens encore coupable ? Je n'ai plus rien à craindre. J'ai payé ma dette, que j'aie ou non commis ce crime.

Si je me sens encore coupable, ça n'est peut-être que dans mes gènes…

Pourtant, comme acteur pornographe, je suis bien là, dans toutes ces images. Coupable.

Alors, comment expier cela ?

Oh, mais j'ai déjà payé. J'ai perdu mon Elinor.

J'ai perdu mon Euridice…

Une perte irremplaçable… un prix beaucoup trop élevé
pour un acte que je n'ai pas commis…
Et pourtant c'est bien moi…

CHAPITRE 28

- Vous avez rendez-vous?

- Non, mais dites-lui que c'est Alex du Lido, en Floride, on est de vieux copains…

N. Carlos était déjà en réunion depuis sept heures trente du matin et la réceptionniste m'a fait attendre pendant qu'elle parlait au téléphone et jouait avec son ordinateur. Elle aurait pu être une star de cinéma. Une beauté naturelle.

Elle était brune avec de grands yeux noirs, coiffée à la garçonne comme les vedettes des années trente, et elle aussi était en transe devant son ordinateur portable, comme Carlos il y a huit ans. Elle aussi poursuivait une chimère plus importante sans doute que moi, pauvre humain déchu, largué par sa femme Elinor.

Je me tenais debout devant elle, transi de froid, mon bonnet de laine à pompon écrasé sur le front, acheté au *tout à un dollar*, avec une barbe d'une semaine moitié rasée sur un visage balafré de papier de toilette. Elle ne m'a même pas offert un café.

J'étais sûr que ce N. Carlos n'était pas le bon. J'avais fait fausse route, mais il faisait trop froid pour m'en aller.

Vers huit heures trente, j'ai finalement vu Carlos. C'était bien lui avec des cheveux plus courts. Il jaillissait d'un bureau pour s'engouffrer dans un autre, sans même regarder dans ma direction.

J'ai attendu deux heures, pendant lesquelles j'ai eu le temps de fouiller dans le sac de soie noire d'Elinor, d'en sortir le mini ordinateur, de relire mes notes pour ce roman et le courrier que Lily avait envoyé au laboratoire de Boston avec leur réponse.

Au fond du fond du sac de mon voyage de noces, il ne restait que quelques coquillages, un peu de sable de Floride et, en pièces de monnaie, presque trois dollars américains.

C'est fou comme les gens peuvent changer en juste deux heures de temps. Après deux heures et demies d'attente, la beauté naturelle de la réceptionniste a tourné. Je la trouvais ordinaire. Presque vulgaire. Il ne manquait plus à cette fille, que de mâcher du chewing-gum, la bouche ouverte, en le faisant claquer, et de se vernir les ongles, en parlant fort au téléphone pour compléter le portrait méchant de la réceptionniste divorcée avec un enfant à charge.
Et je n'ai rien inventé. Sans pudeur elle m'a livré tous les détails de sa vie privée, à voix haute comme si je n'étais pas là assis à un mètre cinquante d'elle entre les deux plantes grasses de la salle d'attente. Comme si j'étais mort.
À vingt quatre ou vingt huit ans, on ne peut savoir, elle n'a rien d'autre à offrir au marché du travail que sa voix ordinaire, et ne peut nourrir d'autre espoir romanesque que celui de courir les sites de rencontres internautes. Tous les hommes valables dans son coin de campagne sont probablement partis en ville ou déjà mariés.
Finalement, vers onze heures, courant d'un bureau à l'autre, entre deux urgences et une crise, N. Carlos a fini par s'arrêter à la salle de réception.
- Désolé, je suis très occupé et je ne vous connais pas.
- *Cogno*, Carlos, c'est moi, Alex, le Lido à Miami.
Là, je me suis rapproché et lui ai murmuré :
- J'ai fait huit ans de taule pour le meurtre à l'hôtel…
- *Puta madre*, Alex ! *You look terrible…*
Il a eu les larmes aux yeux… Il s'est arrêté un moment dans sa course, m'a embrassé. Sincèrement.

J'ai horreur de ce genre de manifestation, mais les latinos sont comme ça.

Il a baissé le ton et m'a dit :

- Appelle-moi Normand, ici mon nom c'est Normand.

Il m'a invité à souper chez lui pour me présenter sa femme, plus tard ce soir. Mais d'abord, il voulait me faire visiter les abattoirs qu'il gérait grâce à son diplôme en Business Administration. J'ai décliné pour l'usine d'abattage, mais j'ai dit oui pour l'usine d'équarrissage.

Dans un vacarme assourdissant, une cinquantaine d'employés des deux sexes en blouses de plastique blanc et casques de construction *détruisaient* à une vitesse effarante des carcasses suspendues, à l'aide de létales scies mécaniques. Des planchers aux murs blancs en céramique, tout était d'une propreté exemplaire, mais l'horreur était comme une glue, suffocante d'humidité sanglante :

- Les abattoirs appartenaient au père de Jacinthe-mon-amour. Le père Gélinas, il a travaillé dur toute sa vie. Quand il est mort, il a laissé le business à ses filles. Jacinthe avait un diplôme de commerce.

- Jacinthe ? C'est la femme qui m'a répondu au téléphone quand j'ai appelé chez toi?

Tu l'as épousée, alors ?

Normand Carlos, à cause du bruit, ne m'a pas répondu. Son cellulaire n'arrêtait pas de sonner, et ses employés de le solliciter. Il était préoccupé par le prix du porc canadien qui dégringolait, par des acheteurs japonais frileux et par une compétition américaine et chinoise rendue féroce par un déluge de maïs bon marché, génétiquement manipulé, sur le marché international. Quand il revient, il me dit :

- On avait même une section pour la viande Kosher…

- Cachère ?

- Mais on n'a plus la demande qu'on avait…

CHAPITRE 29

Chez Carlos, on a dîné macrobiotique-sympathique, un paradoxe cohérent chez un gérant d'abattoir bovin, ovin, porcin.

Quand la femme de Carlos est apparue avec une soupière de minestrone à l'ail et kinoa, j'ai eu l'impression de la reconnaître. Mais sa voix chaleureuse m'était à la fois inconnue et familière. En fait, sa coupe de cheveu ressemblait à celle de la réceptionniste des abattoirs de Sainte Julie. Dans le village, il n'y a peut-être qu'une seule coiffeuse qui règne en arbitre des élégances.

- Excusez-moi…

Balbutiante et rougissante, l'épouse de Normand s'est absentée lorsqu'on a entendu vagir un nouveau-né au deuxième étage de leur maison de ville à la campagne. Nous sommes allés choisir une bouteille de Coteau du Roussillon dans sa cave à vins en alvéoles de calcaire importées de Champagne. Il a ouvert le nectar avec le cérémonial d'un connaisseur et j'ai osé m'enquérir :

- Carlos, pourquoi tu appelles ta femme Jovette, quand elle s'appelle Jacinthe ?

- Tu es con ou quoi ? Jacinthe, Jacinthe-mon-amour, elle est morte au Lido, c'est toi qui as été condamné pour son meurtre, *cogno* !

- Jacinthe ? Tu es fou, ou quoi ? Elle était à Montréal, à ce moment là, tu te souviens, la panne de courant, plus de courrier, plus de coups de téléphone. Carlos, tu es mon ami, j'ai plaidé non-coupable, j'ai payé pour un crime que je n'ai pas commis, tu le sais très bien… Je n'ai jamais vu ta Jacinthe de ma vie.

- Alex ! Il y a quelque chose qui ne va pas chez toi. On t'a accusé et condamné pour le meurtre de Jacinthe Gélinas à Miami et, pendant le procès, tu as dû entendre son nom cinquante fois. Et tu me dis que tu ne la connais pas ?

Et là Carlos m'a regardé avec une terrible expression de tristesse. Il est resté là à me dévisager sans parler, comme si j'étais fou, puis il m'a dit :

- J'ai suivi le procès dans les plus petits détails. Jacinthe, c'était la femme de ma vie. Le meurtre a été commis à une heure vingt neuf de l'après-midi d'après l'autopsie. On a vu tes photos sur tous les journaux de Miami, avec l'heure, la minute et seconde exacte imprimée sur l'image des caméras de sécurité de l'hôtel. On te voit sortir du *penthouse*, prendre l'ascenseur et aller à la plage, à une heure quarante huit. Moi j'ai repris mon service au gymnase à une heure exactement. La police t'a arrêté pendant que tu dormais sur la plage. La dernière fois que je t'ai vu, tu étais, menottes aux poignets, en train de zigzaguer, moitié soûl, autour de la piscine entre deux flics. Il devait être deux heures et demie de l'après-midi.

- Moi soûl ? Tu sais que je ne bois jamais. Je suis innocent, tu le sais. Et j'ai payé pour ce crime.

- C'est vrai que j'ai entendu des rumeurs en prison. Même ce cinglé d'El Lobo, tu te rappelles, le garçon de plage... il se vantait d'être le seul à connaître la vérité derrière cette histoire. Personne ne le prenait au sérieux. Il m'a dit cent fois que tu étais innocent, mais il racontait toujours n'importe quoi pour se donner de l'importance. Ça m'a laissé un doute, et comme tu ne t'es pas défendu...

- En plus son nom, dis-moi Jacinthe Gélinas en américain... vas-y dis le... Jacinthe Gélinas.

- Jacinthe Gélinas...

- Non ! Dis-le avec l'accent de la Louisiane. Moi j'entendais Jason quelque chose. Ça sonnait bizarre, comme un nom d'homme, Jason Gelinek, peut-être… J'étais trop assommé pour faire attention à ce que disait le greffier. Il était de la Nouvelle-Orléans. Pour moi c'était du chinois, alors que je t'ai toujours entendu l'appeler en français… Jacinthe-mon-amour… Seulement par son prénom. Tu n'as jamais mentionné son nom de famille… Gélinas.

- Qu'est-ce qu'il y a avec le nom de famille Gélinas ? Carlos n'a pas perdu son sang froid quand sa femme est redescendue à la salle à manger, avec un magnifique bébé café au lait dans les bras. Il lui a dit en plaisantant :

- Alex voit des Juifs partout… Ma mère s'appelle Guevara, un nom Juif d'après lui. Ça n'explique pas la couleur de ma peau.

- Guéver en hébreu veut dire vaillant, mâle, masculin…

Carlos a fait le paon. Il a demandé :

- Benitez, c'est juif ?

- Cent pour cent.

Il a eu un petit rire nerveux :

- C'est le nom du salaud du Ministère de l'immigration à Cuba qui a renvoyé les mille passagers du Saint-Louis se faire massacrer en Allemagne nazie, juste avant la deuxième guerre mondiale.

Sa femme se balançait de gauche à droite, son poupon dans les bras :

- Normand, Alex a raison. Trente pour cent patronymes au Québec sont d'origine juive. Il y a des Gélinas, des Paré, des Vianney et des Venne, des Moffat, des Auger et des Lébreux, des Da Silva, des Malo, des Drouin, des Bizaillon, des Marchildon, des Dion et des

Déry. On trouve tous ces noms d'origine juive dans l'arbre généalogique de ma famille, les Gélinas.

Moi, j'en ai rajouté :

- Il y a des Hébert, des Lévesque, des Parizeau, des Bourgault et des Martineau d'origine juive dans ma famille aussi, et ça ne les empêchait pas de haïr les Juifs, il n'y a pas si longtemps. Par centaines, ceux qui ont fui l'Inquisition se sont réfugiés en Nouvelle-France comme Nouveaux Chrétiens vers 1650. C'est facile à vérifier aujourd'hui. Un petit test d'ADN…

Le nourrisson a fait un petit rot. Sa mère l'a regardé avec amour et en lui tapotant un peu le dos, elle a précisé :

- Mon nom de famille Gélinas est une contraction du sobriquet Juif Élie. Le site des Gélinas sur l'Internet mentionne l'origine juive de beaucoup de fondateurs de la nation québécoise. C'est quoi votre nom de famille, Alex ?

- Portugais. À Port-aux-Basques, j'ai vu la tombe d'un de mes ancêtres paternels datée de 1743, il s'appelait Da Silva. Sur la pierre on voit clairement deux mains jointes par les pouces, aux doigts ouverts, pointant vers le ciel, symbolisant la bénédiction pontificale. Parmi mes ancêtres portugais, il y a des Cohen da Silva, descendants des prêtres du Temple de Jérusalem, il y a trois mille ans.

- Alors votre père était Juif ?

- Mais pas du tout ! C'était un québécois pure laine, comme moi, baptisé catholique, romain et apostolique. Enfant, il était servant de messe. Comme moi. Un antisémite traditionnel… Comme moi.

- Et votre mère ?

- Ma mère était d'origine turque, mais elle nous a quitté quand j'avais six ans, partie en Hollande avec quelqu'un qui n'était pas mon père. Je l'ai appris en prison en correspondant avec mon père, enfin pas pour son amant…

j'ai compris qu'elle était juive, ce que mon père m'a toujours caché.

Jovette et Normand se regardent, inquiets devant mes révélations. La confession n'est plus à la mode.

- Mon père m'interdisait de visiter mes grands-parents maternels, les Réubéni. Ils s'étaient réfugiés à Hérouxville, un petit village perdu de la Mauricie, lorsqu'ils ont fui la Turquie d'Asie, après l'horreur des tout premiers massacres d'Arméniens, vers 1894, juste avant le génocide.

- Quand vous dites que votre père était Québécois et antisémite traditionnel...

- Je veux dire un antisémite *soft*, comme tout le monde, un antisémite dans la bouche, par opposition à un antisémite de cœur et militant comme Adrien Arcand.

Je ne voulais pas leur dire *Arcand que mon père admirait comme un héros national, lui et ses chemises brunes.* J'avais découvert une série de photos d'Arcand dans un coffret de souvenirs que papa gardait précieusement dans notre cabane d'été au bord de la mer, près de Port au Port.

Je n'allais pas leur raconter tout ce qui me réjouissait à l'époque, ou me faisait rire aux éclats, dans cette boîte aux trésors de papa. Coffret comme une ouverture sur les galeries sombres de l'inconscient d'un Canada Français profond, il y a cinquante ans. Des tracts de *l'Achat chez nous,* imprimés à la main sur papier bleu ciel orné de fleurs de Lys croisées en crucifix, une bible nationaliste, ramassis d'âneries d'un certain Lionel Groulx, qu'il avait eu la pudeur d'écrire sous un pseudonyme, et une collection effarante de cruauté aujourd'hui, de caricatures antijuives découpées pendant des années et des années dans le Devoir. Des visages repoussants de poulpes aux tentacules étouffant le Chrétien, de cancres infestant les chairs innocentes, de sangsues, de vampires vidant l'honnête homme de son sang...

- Et votre mère ? me demande Jovette.

- Ma mère, ma mère... J'ignorais tout de ma mère, sujet tabou pour mon père, et je n'en savais pas plus que vous sur Arcand...

- Arcand ? Comme Denis Arcand, le réalisateur de Jésus de Montréal, le Déclin de l'Empire Américain, Les Invasions Barbares ? L'Âge des ténèbres ?

- Oui. Sauf que Denis Arcand, d'après ce qu'on dit sur lui, projette de la lumière dans la salle obscure de notre civilisation, alors que son homonyme ajoutait de l'obscurité à la grande noirceur de l'époque.

Je connaissais peu la scène littéraire québécoise, et mal son cinéma. Huit ans de taule et huit ans dans les marines n'ont pas aidé. Mon ignorance valait bien celle de Jovette en matière d'histoire locale.

- Dites-moi Alex comment votre père, un Québécois moderne, a pu rester antisémite ?

- Comme tout le monde. Quand on va à l'église enfant, et qu'on est entouré de tous ces Juifs, de Jésus, de Pierre, de Paul, de Marie, de Joseph, de Jean Le Baptiste...

- Saint Jean-Baptiste ?

- Oui, le patron des Canadiens Français, ça pèse sur la conscience d'avoir tous ces Juifs comme Patrons. Tous ces Saints Patrons absents, qui ne sont que des *boss* juifs...

Mon père travaillait au fédéral à Port aux Basques, jusqu'à ce qu'il soit muté à Montréal. Il voyait des Juifs partout, un peu comme moi, je vois des noms juifs partout chez les Québécois, ha ha ha...

Mais au moins moi, je ne me trompe pas. Je crois que le Congrès Juif devrait subventionner une étude de l'ADN des antisémites les plus gueulards au Québec. Ils la

87

fermeront bien vite lorsqu'ils verront qu'ils sont d'origine juive.

Moi je ne faisais que plaisanter, mais ça a fait comme un froid. On a beau être de la même origine juive que le Christ quand on est catholique, ça reste quand même un sujet honteux pour le monde ordinaire. Même quand on s'appelle Gélinas, Guevara, Portugais ou Castro, Dion, Doyon, Paré, Paris ou Parizeau, Malo, Martineau, Michaud, Landry ou Lévesque, Lemoine ou Cardinal, Ouellette ou Desmarais, et que nos ancêtres ont été persécutés comme tous les enfants d'Israël.

Ça a été longtemps douloureusement honteux pour moi, lorsque j'étais en prison et que Zusche l'aumônier m'a appris que j'étais cent pour cent Juif par ma mère. Cent pour cent ? La honte à cent pour cent…

Le choc d'abord, le déni ensuite, et puis la honte. La honte, lourde, glauque, insupportable comme une cataracte qui empêche de voir clair. C'était horrible… mais je vous raconterai une autre fois… En fait, pour faire simple, devant le malheur d'être Juif, on se fait une raison.

Pour tourner la page, je leur ai montré les photos de Floride. Je les avais fait développer pendant ma cuite à Saint-Hyacinthe, ayant eu besoin de ces images pour me raccrocher à quelque chose.

Parmi les clichés de moi en Robinson Crusoé, j'étais vraiment en pleine forme, Lily en avait pris un, avec sa minuterie automatique, de nous deux enlacés. Nous regardions, émerveillés, un envol de grands hérons blancs. Belle, aérienne image de l'ascension de la bulle arc-en-ciel de notre couple avant sa bruyante crevaison, à l'arrivée du message empoisonné de Boston…

Pendant qu'on regardait les images de mon voyage de noces avec Lily, Jovette a mis le nourrisson dans les bras de Carlos pour aller à la cuisine chercher un dessert, un *Caprese* aux noix. J'en ai profité pour dire à mon ami, à voix basse :

- Regarde, Carlito, je veux dire Normand, j'ai épousé cette femme Lily, il y a quatre mois, et je ne veux pas la perdre. Elle m'a largué à Saint-Hyacinthe, la semaine dernière, au retour de notre lune de miel.

- On dit en espagnol : Luna de miel, luna de mierda...

- Non, c'est grave, ce n'est pas une querelle de couple habituelle. Elle m'a lâché à cause d'une histoire de photos pornos. Tu dois m'aider.

- Photos pornos ? *Oh, boy*, je ne savais pas, Alex... De quoi as-tu besoin ?

- D'un endroit où dormir pour quelques jours et d'un ordinateur avec imprimante pour photos digitales.

- Voilà les clefs du chalet, c'est à dix minutes d'ici au bord d'un petit lac privé. Le lac Gélinas. Je te montrerai. Tu pourras emprunter une camionnette de livraison pour te déplacer.

- Je sors de prison, tu sais, les ordinateurs compliqués... Je sais à peine taper une lettre, et encore avec deux doigts.

- Pour l'ordinateur et le reste, tu viendras au bureau. Jeannette, ma belle-sœur, te montrera. Il y a tout ce qu'il faut. Je pars à Calgary pour une semaine. L'usine est au point mort ces temps-ci, et les éleveurs de l'Ouest sont pressés de liquider leurs bœufs. C'est le moment d'acheter. Il faut faire tourner l'inventaire, même si on va vendre à perte.

CHAPITRE 30

J'ai passé une nuit glaciale dans le chalet construit par le père Gélinas, défunt propriétaire des abattoirs de Sainte Julie. Une nuit où cela a pris des heures interminables pour que la température de la chambre où j'essayais de dormir arrive à un niveau tolérable.

Même dans des draps congelés, sur un matelas de mousse glacée, je n'avais pas à me plaindre. La nuit dernière j'avais dormi dans une gare d'autobus. Ma peau, mes vêtements, mes poumons exhalaient encore l'huile de vidange dégradée.

Au petit matin, j'ai fait le tour du lac en raquettes. C'était comme un renouvellement du monde. Il y avait là assez de blancheur et de propreté enguirlandée d'épinettes noires, pour me laver l'esprit des sévices de la semaine passée. L'envie me prit de me déshabiller et de me rouler nu dans toute cette innocence, mais mon corps a souffert encore plus. Il lui fallait plus que la pureté de la neige.

Je suis resté plus d'une heure dans la baignoire, réchauffant l'eau en la faisant couler bouillante, de temps à autre. Et quand ma peau fut aussi fripée que celle d'une pomme desséchée, je suis sorti du bain, presque à regrets.

J'ai fait un feu dans le poêle à bois vitré, devant lequel j'ai dormi sur la peau blanche, immaculée, d'une chèvre alpaca, une bonne partie de la journée.

Je ne suis pas resté au chalet. Avant cinq heures du soir, il faisait nuit noire, et avec la camionnette, j'ai pris le chemin des abattoirs. Le frigidaire dont Carlos, pardon, Normand, avait fermé la porte et branché le moteur en arrivant, était vide excepté pour un paquet de bicarbonate de soude avec une petite vache dessinée dessus. Et il n'y avait pas une seule boîte de conserve sur les étagères, à cause des *chats sauvages*, m'avait dit Normand, voulant parler des ratons laveurs, que n'importe quelle nourriture attirait comme un aimant.

Je peux parfois jeûner pendant deux ou trois jours, sans trop de problèmes, mais après une cuite d'une semaine et un repas macrobiotique avec soupe au kinoa que je n'avais pas touchée, je n'avais pas envie de faire un trou dans la glace du lac, épaisse d'un mètre, et d'en tirer une truite, afin de combler mes besoins en protéines.

Quand je suis arrivé à l'usine d'abattage, un groupe de femmes et d'hommes en sortaient, interpellant familièrement l'équipe de nuit qui y entrait. En face, dans le petit immeuble de l'administration, on fermait les bureaux.

La réceptionniste, prête à partir, s'est élancée vers moi quand elle m'a vu entrer. Elle m'a demandé :

- Voulez-vous que j'appelle Normand, il est en route pour l'aéroport ?

- Ne le dérangez pas, il m'a demandé de m'adresser à Jeannette pour un ordinateur.

Elle a rougi.

Carlos a dû lui parler de moi. Elle avait radicalement changé sa façon de me regarder depuis hier. Bien que pressée de partir, aujourd'hui, son regard était différent.

Douché, rasé, les cheveux séchés, j'avais mis mon costume beige en laine peignée d'Armani, cadeau de mariage de Lily, parce que j'en avais assez de me traîner comme un malheureux.

- Normand m'a demandé de m'occuper de vous. Comme il n'y a rien à manger au chalet, ma mère a préparé un petit souper pour vous. Vous devez laisser la camionnette de livraison ici. Passez-moi les clefs. Je vais vous servir de chauffeur ce soir.

Devant mon expression d'homme tombé de la planète Mars, elle me rassure :

- Juste pour ce soir, n'ayez crainte. Demain matin, vous la reprenez.

- Est-ce que je pourrais parler à Jeannette ?

- Vous lui parlez. Je suis la belle-sœur de Normand. Hier soir vous avez dîné chez Jovette, ma jumelle.

Je l'ai regardée incrédule.

- Nous sommes jumelles, mais pas identiques.

Après m'avoir montré la salle de l'ordinateur et de l'imprimante pour photos, Jeannette m'a assuré qu'elle me reconduirait ici, après le souper chez sa mère.

Elle m'a invité à prendre place dans sa voiture, une luxueuse japonaise familiale de l'année, avec des pneus à neige gros comme ceux d'un camion semi-remorque. Elinor possède un fonds en fiducie qui doit valoir cent fois le prix des abattoirs Gélinas et elle ne conduit qu'une minuscule japonaise à bi-énergie.

Jeannette a l'air d'une enfant gâtée, mais elle conduit sur la route glacée comme un homme, en dérapant avec précision, sans freiner. Pas une jacinthe, mais un vrai cow-boy des neiges.

- J'ai un *party* ce soir, en banlieue de Montréal, après le souper, si ça vous intéresse.

- Je suis marié.

- Moi aussi. Mais nos conjoints respectifs ont l'air de s'en préoccuper comme d'une guigne.

Ça n'est pas ce que Jeannette m'a dit. Bien sûr, j'ai inventé. Mais c'est ce que je sentais émaner de son enveloppe corporelle, volcan froid, sis à quelques centimètres de moi.

Par contre, elle est restée silencieuse pendant tout le trajet en voiture, à part un rapide coup de téléphone à son fils pour lui dire que maman était un petit peu en retard :

- Ninja mon amour, maman n'a pas eu le temps de passer te prendre un cadeau, mais maman n'oubliera pas demain.

Ninja ? Je connaissais ce nom.

- Ninja ? C'est le nom de votre fils ?

- Oui, Ninja. Son père a voulu l'appeler comme ca.

Mis à part les inoffensives tortues Ninja des dessins animés, le nom de son enfant était le nom d'un diable magicien en japonais. Nin, en hébreu, voulait dire aussi, la descendance, les petits enfants.

Moi, je ne pouvais avoir ni l'une ni les autres. Mais ça, c'est une autre histoire.

Pour revenir à Ninja, quel genre de père voudrait appeler sa descendance, nommer son fils, diable ou démon dans une langue étrangère ?

CHAPITRE 31

Normand avait dû aussi parler à sa belle-mère. Madame Gélinas m'a servi un carré de saumon en papillotes, pomme Idaho au four avec crème sûre et ciboulette, et une tarte au sucre maison pour terminer. Ah, oui, j'oubliais un petit cidre de glace, fabriqué par un voisin pomiculteur et troqué, une caisse de douze, pour la carcasse d'un agneau de lait, petit détail gracieusement offert par belle-maman.

Je me suis forcé devant tant de gentillesse, mais je n'ai rien pu mettre de solide dans ma bouche. Par contre j'ai fait honneur au cidre.

Jeannette a soupé seule avec son fils Ninja dans le foyer, en regardant avec lui un dessin animé sur un écran de télé accroché au mur comme une reproduction de maître. Madame Gélinas a eu tout loisir de me parler de feu son mari et de feu sa fille préférée, Jacinthe.

- Mon mari était un homme brillant, mais il savait à peine écrire. À chaque crise dans l'agriculture, il s'adaptait, il changeait. Il est passé de producteur de lait, quand il a eu des problèmes de quotas, à producteur de veaux de lait. Ensuite, il a eu le courage de construire un abattoir en région quand les grosses compagnies ont commencé à contrôler le prix de la viande… Et puis, il y a eu la crise de la vache folle…

Il est mort de chagrin après le décès de Jacinthe. Elle avait fait de grandes études, la première dans une famille d'agriculteurs depuis cinq générations. Il avait de grands projets pour elle, avec l'accord de libre échange et tout cela…

J'étais donc, si je me fiais aux photos du labo de Boston, l'assassin et le dernier amant de sa fille préférée.

Un assassin, qui maintenant se faisait entretenir par les survivants de sa victime.

- Et vous, Monsieur Portugais, que faites-vous comme métier ?

- J'écris des livres que personne ne lit, je lui ai répondu en éclatant de rire.

Jeannette, sortant de nulle part avec son garçon de cinq ans dans les bras, s'est mêlé à la conversation :

- Mon mari est très créatif aussi. Il écrit des histoires de films, un métier très difficile…

- Vous voulez dire, il écrit des scénarios ?

Ninja s'agite et réclame bruyamment à sa grand'mère, une histoire de Vic Auclair, le bûcheron volant.

- Ninja, embrasse ta grand-mère.

- Allez, fais bisou à grand-maman, elle te contera l'histoire de Vic Auclair demain. Ce soir, c'est maman qui va te lire Huckleberry Finn. On dit bonne nuit à monsieur Alex et on va faire dodo.

Grand-maman Gélinas est debout, enlaçant Ninja. Les sentiments dont elle entoure son petit-fils donnent à son corps une grâce enveloppante. Elle aspire tant à donner autour d'elle que ses formes trahissent sa vocation et s'avancent vers l'autre dans toutes les directions. Grand-maman détache son petit-fils de son ample poitrine comme on enlève un oisillon de son nid, le remet aux bras de sa mère et se rassoit.

Jeannette, au contraire de sa mère, a un corps fin et musclé qui clame autre chose. Il dit : dans la mare de la société je dois nager plus vite, plus fort, plus longtemps, et être à l'affût d'occasions qui ne se présentent jamais une deuxième fois. Un corps singulier, fait pour la solitude à longue distance, entraîné à la performance, oui, mais devant spectateurs.

Jeannette monte deux à la fois les marches de l'escalier, accomplir son devoir de mère conteuse. Lorsqu'elle est hors d'écoute, grand'mère me dit :

- C'est ma fille Jeannette qui a du talent pour se raconter des histoires. Son mari Jean-François fait des *home movies*, de la vulgaire pornographie. Il parle sans arrêt d'écrire des vrais scénarios de vrais films, mais il passe son temps à chercher du financement... c'est à dire à nous emprunter de l'argent, pour faire, de temps en temps un autre *home movie*, et quand il a de l'argent...

Son regard se perd.

- Un temps ça allait, on ne roulait pas sur l'or, mais on pouvait l'aider. Mais là...

Elle étouffe un sanglot et me donne le dos.

- Où est-il?

- Aux Indes, à Bali, en Afrique du Nord, à Los Angeles, il est partout, sauf chez lui. Et ça fait plus qu'un an qu'il n'a pas vu son fils. Tiens ! Le voilà, Jean-François le grand créateur !

Elle se lève de table, ramasse un cadre de photo au-dessus de la cheminée et le remet à sa place. Une barbiche d'explorateur, un bandeau autour du front, un air de conquérant. On aurait cru un instant, qu'elle allait l'embrasser ou le balancer dans le feu. Sans se retourner, elle prend les escaliers.

- Jeannette ne va pas tarder... Excusez-moi, la journée a été longue...

Je suis resté dans le salon de cette maison ancestrale à regarder seul un feu de cheminée. Je me sentais de trop, désemparé, partageant la vie d'étrangers à un moment mal choisi. J'ai pensé d'abord à faire la vaisselle, mais je me suis trouvé ridicule. Je n'avais même pas mangé.

J'ai quand même débarrassé la table, rincé les plats, gardé le gâteau sous sa cloche de plastique. Je me suis habillé et je suis sorti, dans le froid, dans la nuit, m'asseoir sur la galerie.

Jeannette m'a rejoint plus tard. Elle fumait des Gitanes.
- Excusez ma mère, elle est fatiguée ces temps-ci. Oubliez ce qu'elle a dit pour mon mari, c'est vraiment un artiste. L'usine est une responsabilité qui pèse de plus en plus lourd sur les épaules de maman. Cent-cinquante employés, presque des membres de la famille, avec un avenir incertain. Ma mère est une femme de cœur, mais elle n'a pas de temps pour le rêve, l'art ou la poésie.
- Pourtant elle parle comme une vraie conteuse.
- C'est une tradition de famille. Mon père, mon grand-père, ma grand-mère, mon mari…
- Votre mari? Une tradition de famille ?
- Mon mari a été adopté par mes parents quand il avait huit ans. Nous l'avons élevé comme le garçon de la famille, un gars au milieu de trois filles, il était notre petit prince à toutes les trois. Quand il est parti deux ans pour étudier le cinéma à Los Angeles, il nous est revenu tout changé…

Madame Gélinas n'était pas juste une belle-mère déçue, elle était une mère qui se demandait où elle avait échoué comme parent.
Gêné, je me suis levé pour prendre congé et, la main sur la poignée de porte, je lui ai dit :
- Jeannette, il est tard, et je voulais me rendre à votre bureau, ce soir…
Elle avait l'air exaspéré. Elle m'avait fait une promesse qu'elle ne pouvait pas tenir, m'emmener au bureau :

- Prenez ma voiture. Mes clefs sont sur le crochet à l'entrée, en haut du guéridon.

Là, je me suis dit, Alex, attention à une belle femme qui te fait un cadeau.

Jeannette, préoccupée, a allumé une autre Gitane avec celle qui était presque entièrement consumée.

- Prenez aussi mon cellulaire, il est sur le guéridon. Si jamais vous avez besoin d'information au bureau, appelez-moi. Numéro un, c'est moi, deux, c'est ma sœur, trois, c'est ma mère, quatre, c'est Normand. Je vous dis cela parce qu'au bureau, le standard téléphonique est fermé après cinq heures. Il n'y a pas de téléphone au chalet non plus.

Elle est entrée chez elle, lasse, elle aussi. Elle est montée vers sa chambre et, dans la clameur silencieuse de la nuit, je l'ai entendue tourner la poignée de sa porte pour s'enfermer dans une bulle de résignation.

J'ai senti que, malgré la sincérité des Gélinas, un évènement étranger avait ébranlé leur sens de l'hospitalité.

CHAPITRE 32

J'ai roulé lentement pendant quarante minutes, égaré dans l'obscurité des chemins de campagne, assis trop haut sur le siège surchauffé de la conductrice, avec les miroirs et rétroviseurs de la voiture qui reflétaient un ciel d'argent oxydé ou une asphalte aveugle.

Je ne cherchais pas les abattoirs pour m'y rendre. Je ne pouvais rien y faire. Je ne sais pas utiliser un gros ordinateur ni une imprimante digitale. J'aurais dû le dire à Jeannette. Je voulais aller à l'usine d'abattage seulement parce que je savais me rendre au chalet à partir de là.

Tout d'un coup, un bruyant voyant lumineux me signale sur le tableau de bord que je n'ai plus de carburant. J'ai roulé vingt minutes, cherchant une station d'essence. J'étais perdu.

Anxieux, j'ai appuyé sur le bouton numéro un du cellulaire. Le nom de Ninja s'est imprimé, phosphorescent, sur l'écran téléphonique. Après une seule sonnerie, Jeannette a décroché.

- Alex…

Merde, cette voix…

- J'étais inquiet, Jeannette, comment allez-vous faire demain pour vous rendre au bureau ?

- Ne vous inquiétez pas, la camionnette de livraison sera devant ma porte avant huit heures, demain matin. Mettez de l'essence dans la mienne, j'ai oublié de le faire. Il y a une station Champlain à un bloc du bureau. Bonne nuit.

- Jeannette ?

- Oui…

- Je ne sais pas comment me rendre au chalet…

- Prenez la 335 Nord, tournez à droite après le restaurant Bambino, et suivez jusqu'au bout le panneau, domaine du Lac Gélinas.

La 335 Nord, c'était facile, je n'avais qu'à demander mon chemin à la prochaine maison habitée. À court d'essence et sans le sou, je n'étais, heureusement, pas sans initiative. Il fallait d'abord rendre cette voiture confortable et ensuite demander de l'aide.

Tous feux éteints, je me suis garé sur le bas côté d'un petit chemin de terre battue, devant une maison illuminée. Je suis sorti dans le froid pour redresser à la main le siège du conducteur et les miroirs à dégivrage automatique. Mais, dès que j'ai démarré, le système a épousé servilement les mensurations de la conductrice.

Lorsque j'ai fermé le moteur pour économiser mon carburant, j'ai vu surgir un convoi de trois camionnettes de l'abattoir. Elles venaient vers moi avec leurs petits cochons roses en plastique éteints. Le convoi était suivi de loin par un cortège de trois motards, chacun à bonne distance du précédent.

Masqués de cuir pour les grands froids, ils portaient sur le dos, l'écusson des *Death Angels*. Les anges de la mort. Par réflexe, je me suis planqué et me suis relevé lorsque les motards m'avaient bien dépassé.

Devinez ce que j'ai fait ? Demi-tour, tous feux éteints. Et, suivant le convoi de loin, je l'ai vu s'arrêter, quelques minutes plus tard, aux abattoirs. De là, j'ai rebroussé chemin jusqu'au lac.

Je connaissais le parcours. J'avais hâte de rentrer, d'écrire ce qui suit.

CHAPITRE 33

Tout ce que j'écris de ma vie ne fait que donner un vernis au temps. Le vernis, ce n'est pas solide. Le temps passe toujours à travers. Mon écriture tamise le temps.

La question qui demeure c'est, qu'est-ce qu'il tombe du tamis et qu'est-ce qu'il reste dans le tamis ?

Du temps, rien que du temps.

Du temps tamisé, comme une farine de lettres qui tombe sur ma page, que je signe de mon nom.

Et tout ce qui reste dans le tamis, qui n'est que du temps non tamisé, c'est juste du temps d'attente.

Du temps, comme des mots dans une langue cachée dans un journal secret qu'on n'ouvre jamais.

Du temps, comme des grains de blé dans le champ du temps. Du temps comme des sacs pleins dans le grenier du temps, du temps moulu dans le moulin du temps, comme levure dans la farine du temps, comme l'eau dans le pétrin du temps, comme dans le four du boulanger du temps. Du temps, comme du pain riche qu'on mange ou du pain de pauvres qu'on donne aux pauvres du temps.

Du temps absurde, comme des mots dans un dictionnaire, en ordre alphabétique, du temps qui n'a de sens que si on lui donne un espace.

Que si on lui en donne le temps.

Du temps qui mange les mots.

Du temps qui manque pour dire les mots.

CHAPITRE 34

Le lendemain matin, j'ai appelé Jeannette à l'aide parce que je n'arrivais pas à faire démarrer sa grosse japonaise de luxe, ergonomiquement fidèle à sa maîtresse.

Elle est venue me dépanner avec une camionnette de livraison au cochon rose lumineux. Sans dire mot, la cigarette au bec, elle a versé le contenu d'un bidon d'essence dans le réservoir de sa voiture. Elle m'a tendu les clefs du petit cochon rose, je lui ai tendu les siennes, et elle m'a dit avant de démarrer :

- Alex, j'ai oublié de vous dire, il y a une carte de crédit pour l'essence dans le coffret à gants de ma voiture et de la vôtre. On se voit au bureau, alors ?

Au bureau, Jeannette m'a aidé à ouvrir le gros ordinateur. Dans mon courrier électronique, une dizaine de messages attendaient depuis une semaine. D'abord de la secrétaire du père d'Elinor, Ms McCullum. Cinq messages d'une seule ligne, froids, urgents et autoritaires, auxquels, vu le ton, j'aurais certainement répondu impoliment s'ils n'avaient été suivis de trois messages de son patron, Mr Knoll lui-même en personne.

Dans son premier message, monsieur Knoll, *Chief Executive Officer,* sommait le mari de sa fille de se présenter à l'aéroport Trudeau à Montréal, au guichet de l'American Airlines, pour y trouver un billet de première classe pour l'aéroport de Boston où m'attendrait une limousine.

Jeannette lisait derrière mon épaule, impressionnée :

- Knoll, de *Knoll Security* ? On a fait affaire avec eux... En fait on a essayé de faire affaire avec eux. Grosse boîte, puissante... une multinationale. C'est le boss, lui-même qui vous écrit...

- Je ne le connais pas...

Jeannette m'a regardé bizarrement. Le deuxième message, celui très formel d'un beau-père à son gendre, lui disait qu'il s'était trompé à son égard et qu'ils devaient se voir.

- Mais il est le père de votre épouse.

- Il n'a jamais voulu me rencontrer.

Troisième message, Mr Knoll disait que sa fille n'allait pas bien, et prière de le rencontrer sur la piste numéro deux de l'aéroport privé de CNP-Paper, près de Saint-Hyacinthe. Il arrivait le 13 à une heure de l'après midi, heure locale, avec son fondé de pouvoir, pour me présenter un projet de contrat important pour mon avenir.

- Mais c'est aujourd'hui...

- Cela veut dire qu'il arrive en jet privé, me dit Jeannette. L'aérodrome appartient à la papetière géante CNP. Je les appelle tout de suite pour confirmer votre arrivée. Venez, on a juste le temps.

- Vous me ramenez d'abord au chalet, je dois me changer.

- Mais on va être en retard.

- On sera en retard et ils attendront.

J'avais mis mes vieux *jeans* pour travailler. Pour ma première rencontre avec le beau-père, je ne voulais pas avoir l'air d'un clochard.

Je suis vite ressorti du chalet, nettoyé, avec mon beau costume. Jeannette m'a regardé en souriant :

- Vous avez l'air d'un étudiant à son premier bal de fin d'année.

Quand je suis entré dans sa voiture, elle cherchait dans son système électronique de cartes routières l'itinéraire pour l'aérodrome de CNP. Je lui ai dit :

- Je n'ai rien à fiche de ce type qui prétend se préoccuper de mon avenir.

- Même s'il vous fait une offre que vous ne pouvez pas refuser ?

- Qu'est-ce qu'il pourrait bien m'offrir ? Sa fille m'a quitté après m'avoir laissé un chèque de séparation substantiel…

- Oui ? Combien ?

Embarrassé, je me suis rapproché et lui ai murmuré le chiffre dans le creux de l'oreille. Elle a frémi :

- Un million canadien ! Je croyais que vous étiez fauché.

- Je lui ai retourné son chèque dans l'heure même où elle me l'a laissé.

- Avec cette somme, on aurait pu régler les problèmes financiers de l'abattoir Gélinas pour des années à venir.

- Je ne savais pas que vous aviez des problèmes…

- Vous pensez que je suis réceptionniste parce que ça me fait plaisir ? Nous sommes en pleine restructuration… Nous venons de mettre à pieds une trentaine d'employés permanents, certains avec vingt-cinq ans de service. En tous cas, ne signez rien sans me consulter…

- Qu'est-ce qui vous rend si experte ?

- J'ai une maîtrise en droit international. Je suis inscrite au barreau. Je rends ma thèse de doctorat au mois de Mars, et je la défends oralement en Mai.

La petite réceptionniste monoparentale avec ses airs de star est vraiment une femme mariée avec un pornographe qu'elle aime et protège, et elle est docteur en droit ?

On ne sait plus rien sur les femmes.

CHAPITRE 35

Le père Knoll n'est pas arrivé à m'impressionner avec son Lear Jet et sa voiture de fonction garée sur la piste de l'aéroport privé. Elinor m'avait habitué à ce genre d'extravagance et cela ne faisait plus d'effet sur moi. Par contre, il avait pris deux heures de son temps pour venir me rencontrer, et cela faisait au moins dix minutes qu'il nous attendait :

- Alex, ça a mal marché entre nous depuis le début, et je ne suis pas venu vous demander de repartir sur une nouvelle base. Je suis ici strictement pour ma fille. Elle a toujours été fragile et c'est mon rôle de la protéger.

- Elinor est très pure et très solide. On ne peut pas protéger un enfant de trente ans.

Il m'a regardé de façon glaciale et, en composant un numéro sur un minuscule cadran qui pendait sur un cordon noir autour de son cou, il m'a lancé :

- Je crois que mon avocat dans la voiture a des choses importantes à vous dire.

- Je n'ai pas besoin d'avocat pour parler à Elinor, elle est encore ma femme, je crois...

- Ça n'est pas d'Elinor dont Manfred veut vous parler. Il s'agit de vous et de votre avenir.

- Moi ? Mon avenir ? Mais comment va Elinor ?

- Vous n'avez qu'à l'appeler, elle est encore votre femme, vous avez dit...

- Ce n'est pas moi qui suis parti sans laisser d'adresse... Moi, je ne retiens jamais personne...

Il ne m'a pas répondu, évidemment. Il m'a tourné le dos, déjà occupé à parler à voix basse à quelqu'un qui devait être très loin. Depuis quand mon avenir intéressait-il monsieur Knoll ou son fondé de pouvoir ?

Je ne suis pas homme à discuter avec les personnages de ma vie ou de mes romans. Dans la vie, je ne fais que suivre le courant, la pente ou la musique. Je ne me bats jamais contre les gens ou les évènements.

Jeannette m'attendait, impatiente, sur la piste dans sa voiture, à une distance respectable. Vitre baissée malgré la température sibérienne, elle fumait une gitane. Le père Knoll lui a lancé un regard interrogateur à cause, peut-être, de son air de vedette de cinéma. Il m'a dit :

- Dites à votre chauffeur que nous vous reconduirons.

J'ai fait signe à Jeannette qu'on me ramènerait au bureau. Elle est repartie sur les chapeaux de roues. Elle avait assez perdu de temps comme ça.

CHAPITRE 36

Manfred m'a remis un portfolio en suédine, frappé des initiales dorées de la *Knoll Security Corporation*. À l'intérieur, protégé de papier de soie gaufré, blasonné en transparence aux armes des Knolls, il y avait un affidavit, une ébauche de contrat de droits d'auteur, une carte de crédit, la même que celle d'Elinor, gravée à mon nom, un billet de première classe pour Boston, une réservation au Hyatt Regency, durée indéterminée, et, en dernier, une quantité de grosses coupures en dollars américains neuves, retenues par un simple trombone, doré lui-aussi.

Je vous passe les détails, mais l'essentiel de ce que Manfred Holander, l'avocat de Knoll Security, m'a dit dans la limousine, c'est de signer l'affidavit qui donnait à sa firme l'exclusivité des droits de me défendre. Il voulait poursuivre le département de Justice de Dade County, en Floride, pour la petite somme de quarante et un millions de dollars, US.

- Pourquoi ?

- Parce que nous pouvons prouver votre innocence.

Je n'avais pas besoin de preuves de mon innocence, j'étais déjà au courant, merci. J'ai fait un calcul rapide, huit ans de prison, à cinq millions par an comme dédommagement, ça fait quarante millions, et il restait donc un million pour ses frais d'avocat. Mais après avoir parcouru l'affidavit, j'ai jeté un coup d'œil sur l'ébauche de contrat. J'ai vu que l'on se moquait de moi.

Il y avait des barèmes à échelle mobile. Au cas où l'on n'obtiendrait pas les quarante millions demandés, je m'en sortais avec cinquante pour cent du total minimum. Si on obtenait moins que dix millions, en soustrayant les dépenses légales et de relations publiques, il me restait à peu près un million. Une escroquerie. Ou une aubaine finalement, pour quelqu'un qui n'avait pas trois dollars en poche et qui se sentait plutôt coupable.

- Je suppose que je dois signer l'affidavit pour prendre possession de tout cela ?

- Nous avons besoin de votre entière collaboration. Et rapidement, si vous voulez vous assurer nos services. Ce contrat n'est qu'une ébauche. Vous recevrez, sous peu, le dossier complet par courrier électronique. Les instructions d'accès sont à l'intérieur.

Je savais quoi faire. Mon lien avec ces gens, c'était Elinor. Où était-elle, derrière tout cela ?

Je suis sorti de la voiture qui sentait l'eau de Cologne et le cigare, je me suis dirigé droit sur le père Knoll qui parlait de golf sur son cellulaire à quelques pas de là. Il m'a regardé curieusement quand je lui ai remis le dossier en suédine en mains.

- Merci Philip, je vais prendre le temps de réfléchir. Si vous vous intéressez vraiment à moi, je suis prêt à une partie de pêche, de voile ou de golf avec vous, bien qu'après huit ans de pénitencier, je sois assez rouillé. Pour l'instant, la seule chose qui m'intéresse c'est Elinor. Où est-elle dans tout cela ? Pourquoi ne m'appelle-t-elle pas ?

Knoll m'a regardé, son minuscule téléphone collé sur l'oreille comme un gros scarabée noir, et ne m'a pas répondu. Mais j'ai cru distinguer un éclair de haine traverser le silence qui nous séparait.

J'ai tourné les talons, comme au cinéma, et je suis sorti des portails grillagés de l'aéroport. Marcher jusqu'aux abattoirs Gélinas, c'est long, c'est loin, mais je n'attendrais pas que ces imbéciles offrent de me raccompagner. Quelqu'un me prendra bien en stop, même si je suis habillé légèrement, par ce froid de chien.

La limousine du père Knoll m'a rattrapé après vingt brusques minutes de marche. Elle s'est arrêtée devant moi. Le chauffeur avait enlevé sa casquette, sa veste et défait sa cravate noire. Seul à bord, il m'a interpellé familièrement :
- Hey ! Monte ! Ils m'ont payé ma journée. Envoye ! Je t'emmène où c'que tu veux. À l'abattoir ou au chalet.
Je lui ai répondu sur un ton moqueur :
- Crime ! La mort ou la retraite ! Parles d'un choix ! J'vais te dire une affaire. Okay, je monte, si tu me dis comment tu m'as retrouvé.
Le chauffeur s'est mis à rire :
- Pas compliqué... T'es descendu avec ta femme chez madame Lamoureux à Saint-Hyacinthe, c'est ta femme qui nous l'a dit. Ensuite, le bus pour Sainte-Julie et les abattoirs, c'tait facile ! Le Manfred, il m'a filé mille piasses américaines, s'tie, pour que je te r'trouve. Mille piasses pour deux coups de fil, ça c'est d'la job... Plus trois cent piasses, cash, pour la limo, location pour la demi-journée, ça fait un maudit beau contrat... Mille trois cent US, hey, p'tit quart d'heure, pas de facture...
- Ah ben, chauffeur de limo et détective...
- Alors, c'est quoi ? L'usine ou le lac Gélinas ? T'es sûr que tu préfères pas aller boire un coup ? C'est ma tournée...
- Je ne bois pas...
- Eh, monsieur ! un gars peut ben se tromper...
- Emmène-moi chez Théo, je veux manger du poisson grillé... j'ai faim. Pour l'usine, j'irai à pieds, c'est à côté.
- J'peux pas t'emmener chez Théo. Y'a du monde qui travaille là que je veux pas rencontrer.

CHAPITRE 37

Au bureau, j'ai trouvé Jeannette absorbée devant l'ordinateur, sur mon site personnel. Elle était en train de parcourir les dossiers légaux de Manfred. Elle ne m'attendait pas de si tôt. J'étais plutôt ennuyé.

Sans se retourner, elle m'a dit :

- J'étais sûre que vous étiez retourné à Boston avec eux.

- Jamais. Une offre de quarante millions de dollars, ça se refuse tout de suite. *Ain't no free lunch.*

- Pardon ? J'espère que vous n'avez rien signé.

- Pourquoi ?

- Ces contrats sont des promesses cousues de fil blanc.

- J'ai bien vu, mais pourquoi font-ils cela ?

- Je ne sais pas. Ils ont peut-être la preuve de votre innocence, mais le dossier légal est plein de détours et de sous-entendus, si on sait lire. Je me méfierais…

- Ils ont peut-être trouvé quelque chose sur le site de photos. L'avez-vous ouvert ?

- Il y a des choses qui me regardent, d'autres non…

- Comment faites-vous la différence ?

- Je suis avocate, les contrats m'intéressent, mais votre vie privée vous regarde.

- Ma femme m'a quitté à cause de ces photos.

- Précisément. Mon beau-frère Normand m'a parlé de photos pornographiques. J'en connais un bout, mon mari est un professionnel, un spécialiste…

- Et si je vous disais que Jacinthe est sur ces photos avec moi ?

- Jacinthe ? Avec vous ? Vous et ma sœur Jacinthe sur des photos pornos ? Mais de quand datent ces photos ?

- D'il y a huit ans.

- Je n'en savais rien. Normand non plus, il me l'aurait dit.
- Ce sont les dernières images de votre sœur vivante. J'ai fait huit ans de prison pour l'avoir supposément assassinée.
- Quoi ? Attendez ! Normand m'a dit que vous sortiez de prison et que vous avez toujours clamé votre innocence. Mais que vous soyez l'assassin de ma sœur, il ne me l'a jamais dit. C'est nouveau, c'est horrible, c'est choquant. Ah, non ! C'est insupportable !
- Jeannette je suis innocent.
- Merci, mais moi j'ai envie de vous arroser d'essence et de vous brûler vif.
- Si j'étais coupable, je ne vous aurais jamais dit la vérité. Je me serais tu. Si je n'étais pas innocent, je ne vous aurais jamais raconté tout cela.
- J'ai envie de vous couper en morceaux et de vous jeter aux chiens sauvages.
- Je ne suis pas coupable, même coupé en morceaux.
- Sortez d'ici, j'appelle la police.
Elle a vraiment appuyé sur une touche de son cellulaire. Moi j'ai reculé vers la porte du bureau.
- Faites-le, appelez la police, mais dites-moi pourquoi cet avocat prétend avoir la preuve de mon innocence.
- Sortez…
Là, elle a ramassé un presse papier, un bloc de granit rose, qu'elle a levé vers moi avec le geste entraîné d'un joueur de base ball. Le projectile devait facilement peser dans les dix livres. Cette fille de paysan était aussi costaude que déterminée. J'étais sur le seuil, démoli :
- Je pars. Regardez ce dossier de photos, je vous en prie. Je m'en vais…
Je suis sorti du bureau aveuglé par les larmes. Je ne savais plus quoi faire ni où aller. Je me suis réfugié dans la

cabine téléphonique sur le trottoir d'en face. Dans mes poches, je n'avais pas de quoi faire un appel local. J'ai essayé de parler à la téléphoniste mais elle ne comprenait rien, ni sa supérieure hiérarchique. Il leur fallait un nom avec une adresse pour qu'elles puissent m'aider.

CHAPITRE 38

Quand Jeannette est venue me chercher dans la cabine téléphonique, j'étais accroupi dans un coin, incohérent de froid. Elle m'a ramené au chalet, m'a fait couler un bain, et elle est repartie. Sans dire mot.

J'ai passé la moitié de la nuit à pleurer, et vers le matin, elle est revenue avec son ordinateur portable, m'a tendu un peignoir, et m'a dit :

- J'ai fait du café. J'ai des *bagels* frais, du saumon fumé aux câpres, une petite salade, tomate, oignon et concombre. Nous avons du travail aujourd'hui. Ici, on n'a pas de téléphone, mais grâce à l'antenne sur le toit, on peut se brancher sur l'Internet. Je vais installer la connexion. Je vous attends.

Je n'ai pas osé lui demander ce qui l'avait encore fait changer d'opinion à mon égard, mais elle s'est proposée d'elle-même :

- Je veux savoir ce qui est vraiment arrivé à ma sœur. Il y a d'autres personnes présentes avec vous sur ces photos et ces photos ont été prises autour de l'heure de la mort de Jacinthe. Ça change tout légalement. J'ai besoin de vous pour identifier ces personnes.

- Qui vous remplace au bureau ?

- Jovette, ma jumelle. Depuis qu'on a restructuré la compagnie, nous faisons chacune un tour de deux semaines à la réception. Elle prend son service aujourd'hui.

- Qui garde bébé Nicolas ?

- Sa grand'mère…

- Qui va garder Ninja ?

- Sa grand'mère aussi, si j'en ai besoin.

Nous avons pris le petit déjeuner dans le parloir du chalet. Je dis nous, mais, en fait, j'étais personnellement incapable d'introduire un aliment quelconque dans mon corps.

Jeannette avait bon appétit. Son ordinateur portable était ouvert sur le dossier de mon arrestation par les polices de Broward et de Dade County en Floride.

- Alex, je ne vous l'ai pas dit, mais j'ai demandé hier le transfert des dossiers de votre procès à mon bureau.

- Comment y êtes-vous arrivée ?

- Vous oubliez qu'il s'agit de ma sœur et que je suis avocate.

- Et les dossiers de police qui sont sur l'écran ?

- Ils ne sont pas complets, il manque les vidéos des caméras de sécurité. Il nous faut la permission du directeur des archives ou d'un juge pour les emprunter.

- Aux États-Unis le droit d'accès à l'information vous permet de court-circuiter la bureaucratie judiciaire.

- Je ne suis pas journaliste.

Jeannette parcourt les documents en diagonale :

- Casier judiciaire vierge. Décharge honorable au sortir de l'armée américaine avec grade de sous-lieutenant dans le *Signal Corps*, en communications. Rédacteur en chef de *Clarion*, le Journal de l'armée, en Afghanistan, gérant de la Station MRS, la Radio des Marines, pendant l'*Operation Desert Storm*.

Elle se tourne vers moi, incrédule :

- Vous avez fait l'armée américaine ? Aucune plainte de nature sexuelle contre vous jusqu'à votre condamnation. Rapport du comité de libération conditionnelle avec note du directeur du pénitencier : Prisonnier modèle.

- Vous me croyez toujours coupable ?

Elle n'a pas répondu à ma question.

- Ces deux autres personnages présents dans les dernières minutes de la vie de Jacinthe changent la nature même de votre procès.

- Si vous étiez mon avocate, comment m'auriez-vous défendu ?

- Même si vous étiez coupable, vous ne connaissiez pas ma sœur. Elle est arrivée à Miami quelques heures avant de vous avoir rencontré. Le motif du meurtre, le viol, ne colle pas avec votre profil psychologique. J'aurais basé ma défense sur une absence de préméditation. La victime vous a plutôt sollicité, donc, absence de motif passionnel. Et votre profil psychologique n'est pas pathologique.

- Et si j'étais un détraqué ? Un vrai cinglé ? Qui tue dans un moment de folie et qui oublie… Comment savoir ? J'ai moi-même eu des doutes en huit ans de prison. Je me suis vu sur ces photos avec votre sœur, pour la première fois de ma vie, il y a dix jours, en compagnie de ma femme. Un choc total.

- En tant que juriste je dois vous donner le bénéfice du doute. Et à propos des fous criminels, j'ai fait un stage à Montréal à l'Institut Pinel. Vous auriez dû voir les spécimens.

- Au pénitencier, les pires tueurs étaient des prisonniers modèles…

- Vous avez certainement des raisons personnelles de vous sentir coupable, mais vous n'avez pas le profil d'un détraqué. On peut toujours se tromper, mais, mon père disait : y'a rien qui ressemble plus à un chien enragé qu'un chien enragé. Regardons ensemble ces photos qui vous ont coûté votre mariage… Ce que j'en ai vu hier est clair. Ma sœur vous a séduit. Et il y a deux autres hommes présents que vous devez m'aider à identifier.

- Je ne me sens vraiment pas bien… Continuez d'examiner les dossiers. Je vais faire un petit tour dans la forêt. J'ai besoin de respirer quelques minutes, vous comprenez… J'ai vu des pistes de motoneiges sur le côté gauche du lac. Je vais les suivre pour prendre un peu l'air. Je ne serai pas long.

Elle a eu l'air inquiet :

- Prenez garde de ne pas vous *écarter*…

- N'ayez crainte, la forêt me connaît, je suis un gars de bois…

J'ai marché dans un boisé de pins blancs, planté il y a plus d'un demi-siècle par le père Gélinas. Cet homme, en avance sur son temps, avait reproduit sur ses terres les forêts modèles de Scandinavie et du nord de l'Europe. Rien ici de sauvage. Tout était ordonné, les arbres alignés, le bois mort mécaniquement déchiqueté et composté. Les espaces coupe-feu peignaient la futaie en longs rubans noir et blanc rectilignes.

J'ai suivi tout droit les sentiers de neige vierge qui s'élevaient lentement vers les sommets des Basses Laurentides. En haut, la végétation mixte reprenait son allure sauvage. L'épinette noire, la pruche, le mélèze, l'if, mêlaient en chœur leurs essences capiteuses.

En suivant les pistes balisées pour motoneiges, j'ai trouvé des traces de raquettes qui sortaient des sentiers battus. Partout des empreintes de chevreuils, d'orignaux, de lynx, mêlaient leurs histoires boréales sur une poudreuse vierge.

Ça et là, la neige contait une anecdote de lapins jouant à cache-cache avec des renards, ou de chiens sauvages débusquant une biche.

Ma tête bourdonnait. L'envie de vomir me prit mais j'étais à jeûn depuis trop longtemps. Ma cuite vieille d'une semaine, semblait refaire surface avec la hargne sourde d'un décalage horaire. Comment pouvais-je à la fois être coupable et innocent de ces images trouvées à Charlie's Point ?

Je suis arrivé à une clairière où, en bordure des arbres, invisibles des airs, quelques plants de cannabis jugés trop frêles, n'avaient pas été récoltés à l'automne. L'image des trois camionnettes avec leurs petits cochons roses, me revint. Et Jeannette qui avait peur que je ne me perde dans la forêt, que je ne m'*écarte*…

Je pense à nos ancêtres exilés sur ces moraines glacières couvertes de neige six mois par an. Lorsque ces expatriés se perdaient, ils sortaient de la carte ; ils s'écartaient dans une autre dimension ; ils tombaient littéralement dans le néant, ayant, sans le vouloir, passé outre le bout, la fin du monde.

Je ne me suis pas approché des plants de marijuana, par instinct de conservation, mais de loin on pouvait voir leurs feuilles roussies comme celles desséchées, d'un plant de tabac de Virginie. Cannabis, voilier d'un autre exil. Bateau fantôme pour destination de brouillard et de nuit.

Finalement, j'ai marché droit devant comme si je n'avais rien vu, sans dévier ma route, ni laisser trace d'une hésitation quelconque aux empreintes de mes pas.

Un mile plus loin, j'ai croisé un petit camp de bûcherons à l'heure de la pause. Ils s'abritaient du vent derrière une bâche de plastique opaque, clouée à deux arbustes. J'ai voulu passer outre leurs regards moqueurs et leurs sarcasmes à la vue de mes raquettes, bricolées avec de la ficelle et deux morceaux de contreplaqué, mais ils m'ont arrêté, en m'offrant gentiment du café qu'ils chauffaient sur un feu de branches.

C'est alors que j'ai perdu connaissance. En retraçant mes pas, ils m'ont ramené au chalet avec leur petit Bombardier à chenilles. On me l'a dit quelques jours plus tard.

CHAPITRE 39

Je me suis éveillé sur un petit lit de camp dans une chambre d'enfant. Une loupiotte en forme de tête de clown fichée dans une prise murale éclairait la pénombre.

Je n'étais pas en prison, ni à New York. Le silence était assourdissant. Je n'étais pas en Floride, ni au chalet Gélinas. Où étais-je ?

Une bouillotte de plastique transparent accrochée à un portemanteau ressemblait à un têtard dont la queue laissait tomber goutte à goutte, un plasma terne qui entrait dans ma main droite par un dard que je voyais clairement, mais dont je ne sentais ni la douleur, ni la présence.

Cette chambre...

Je me suis réveillé dans la chambre éclairée par un mobile qui projetait des motifs enfantins sur les murs et plafond. Madame Gélinas se tenait devant moi et me tendait un verre de jus d'orange :

- Mon pauvre monsieur, vous êtes bien déshydraté.

- Déshydraté...

- Oui, il faut boire beaucoup. Votre épouse a téléphoné, elle demande que vous la rappeliez à New York. Les résultats de vos tests sanguins sont arrivés, ce matin. Appelez-là, elle est très inquiète pour vous et pour elle-même aussi, évidemment...

- Évidemment ? Des tests sanguins ? Ma femme a appelé ? Qu'est-ce qu'il y a d'évident ? Depuis quand est-ce que je dors dans cette chambre ?

- Depuis trois jours, enfin trois nuits et quatre jours.

- Qu'est-ce que j'ai ? Où est Jeannette ?

- Rien, vous allez bien. Jeannette est en voyage d'affaires. Dr. Morissette est parti il y a une demi-heure. C'est lui qui a commandé les tests lorsque les bûcherons vous ont ramené. Ce matin, le bon docteur a parlé d'anémie. Il faudra lui demander quand il reviendra. Appelez votre femme pour la rassurer.

- La rassurer ?

- Décidément, il vaut mieux vous reposer.

Elle a éteint la lumière. Le silence m'a emmitouflé et je me suis réveillé quand le soleil se levait. Les rideaux étaient tirés, une belle journée attendait, impatiente.

Une gitane en bikini, allongée sur une chaise longue tricotait une layette de bébé. Je me suis mis à crier :

- Madame Gélinas…

- Oui monsieur Alex…

- Dites à cette femme de partir. Je ne veux pas la voir.

- Elle est partie monsieur Alex. Regardez bien. Il n'y a personne.

La femme était partie. Je me suis levé librement. Je n'étais plus attaché à un tube supporté par un portemanteau. Il me restait un petit pansement sur la main droite. J'ai pris une douche et je me suis enveloppé d'un drap de lit. Madame Gélinas m'a préparé des flocons d'avoine, auxquels j'ai ajouté un peu de sel, d'ail et d'huile d'olive. J'en ai mangé le quart, tout doucement, avec les doigts, comme un paysan afghan, assis par terre, les jambes croisées en tailleur, sous le regard amusé de maman Gélinas. Ensuite, j'ai téléphoné à Elinor.

Elle attendait mon appel.

CHAPITRE 40

Elinor, son père et Manfred, le gérant de son fonds en fiducie, avaient eu peur que j'aie contracté le sida en prison. Pourtant, avant de nous marier à l'Hôtel de Ville de New York, Lily et moi, avions dû passer le test Wasserman obligatoire. Un test pour dépister les porteurs de syphilis avant qu'ils ne contaminent leurs partenaires.

Ni l'un ni l'autre n'étions infectés, mais un rappel qu'Elinor avait reçu à son retour de Floride avait inquiété ses proches. Dans son protocole, le Wasserman moderne incluait une analyse pour l'hépatite C et une pour le virus VIH. Or soit une erreur de manipulation ou un résultat mal interprété m'avait rendu suspect. Pour bonne cause. Près de vingt pour cent parmi nous, prisonniers au long cours, sommes porteurs du sida au sortir de prison.

Au téléphone, Elinor me parlait comme si elle était dans la pièce à côté et n'en avait pas bougé :

- Alex, j'avais peur, enfin, tout le monde avait peur que tu ne m'aies contaminée. J'ai vu mourir un ami du sida il y a un an, je t'ai raconté, c'était l'horreur, tu sais.

- Apparemment, je souffre d'une forme exotique d'anémie… Un docteur m'a examiné.

- Oui. Dr. Morissette. Il m'a parlé il y a une heure de thalassémie b, je crois. Heureusement qu'il a fait une spécialité en médecine tropicale. Les gens du test Wasserman ont assumé le pire. Ton docteur m'a expliqué que la thalassémie est une mutation génétique qui permet aux porteurs de résister au paludisme.

- Lily, pourquoi es-tu partie sans rien dire ?

- D'abord il y a eu ces horribles photos, c'était plus fort que moi. Ensuite, en rentrant du Canada, j'ai reçu un rappel pour le test Wasserman et ça m'a fait un deuxième choc. J'étais sûre que tu m'avais caché ta maladie, que tu avais le sida. Enfin, quand le détective que Manfred a engagé pour te retrouver nous a dit que tu étais alcoolique, que tu buvais comme un trou, toute la journée et toute la nuit… dans un bar de danseuses nues… Ça m'a fait un choc après l'autre…

J'ai compris que je m'étais trompée… Finalement quand tu as retourné mon chèque, Manfred, qui administre mon *Trust Fund*, Manfred a insisté pour que je passe une batterie de tests en clinique. Mais ma mère, dans un de ses rares moments de lucidité, m'a calmée. Elle m'a dit d'attendre parce que le sida prend longtemps avant de se manifester. C'était juste après notre voyage en Floride. Manfred et mon père étaient certains que tu voulais me faire chanter.

- En retournant l'argent ?

- Pour eux, c'était un signe clair que tu en voulais beaucoup plus. Que tu allais me poursuivre pour la moitié de mon fonds en fiducie. C'est ton droit, puisque nous sommes mariés.

- Merci pour la suggestion. Mais, pourquoi ont-ils inventé cette histoire de la preuve de mon innocence ?

- C'est vrai… ils n'ont rien inventé, c'est pour ça qu'ils ont pris les devants.

- Et qu'ils allaient me faire gagner quarante millions en poursuivant Dade County ? Je crois que j'ai compris… Lily ?

- Oui.

- À combien est évalué ton fonds ?

- Autour de huit cent millions… à cause de Nortel. Il y a huit mois, mon fonds valait un milliard et demi.

- Donc, Manfred et ton père ont préféré me promettre quarante millions d'une poursuite imaginaire, plutôt que de compromettre la moitié de ta fortune. Ils m'ont manipulé pour que je signe un affidavit afin de mieux rire de moi. C'est dégoûtant ! Lily ?
- Oui.
- Tu te souviens de la noix de coco à Pine Keys ?
- Oui.
- On a vécu un vrai moment de bonheur dans un vrai paradis avec rien, et ton père a voulu m'enlever et t'enlever ce privilège ? Lily…
- Oui…
- Adieu.
J'ai raccroché. Trop vite, trop fort. Peut-être, injustement.
Parce qu'en sortant du pénitencier, j'étais bien content d'avoir trouvé en elle une sorte de mécène heureuse de me permettre d'écrire sans me soucier du lendemain. Mais pendant notre vie commune, je n'ai jamais accepté qu'elle m'entretienne. J'étais sorti de prison avec huit mille dollars et j'ai toujours payé ma part du budget.
Je ne devais peut-être rien à Elinor, mais après quatre mois passés avec elle, j'ai flambé huit ans d'économies.
Aujourd'hui j'étais libre, vivant, sans le sou, et pas porteur du sida. Plutôt de bonnes nouvelles pour quelqu'un qui veut écrire.

CHAPITRE 41

Pendant que je faisais mes exercices du matin, face au levant, paré de phylactères et du vêtement à franges rapiécé, madame Gélinas est entrée dans ma chambre de convalescence après avoir gentiment frappé à la porte.

Elle m'a regardé avec une admiration mêlée d'interrogations et m'a montré la couverture du Journal de Montréal :

- Alex, deux hommes de la Sûreté du Québec veulent vous parler.

En première page du journal, et à l'intérieur, des photos d'une importante saisie de drogues, de montagnes d'argent, d'armes semi-automatiques...

- Le FBI vient d'arrêter mon gendre Normand, au poste frontière de Stanstead, au Vermont.

Maman Gélinas n'avait pas l'air plus énervée que ça. Photos à l'appui, le Journal précisait qu'un mandat d'arrêt américain venait d'être servi à un certain Normand Carlos, alias Carlos Noriega, à son passage aux douanes. À cause d'une affaire de drogue pour laquelle il avait été condamné aux *États,* in absentia, quelques années auparavant.

Aujourd'hui, la Sûreté du Québec le recherchait pour trafic de drogues et opération d'un laboratoire de fabrication d'héroïne, d'ecstasy, de crack, et d'une douzaine d'autres substances illicites.

Un coup de filet gigantesque qui avait pris trois ans à monter, avec la collaboration d'au moins cinq corps policiers dont le FBI, la GRC et la police colombienne. Une victoire exceptionnelle de la SQ grâce à l'escouade Caribou.

Un des deux policiers en civil, nommé Lébreux avait l'air plutôt commode, mais Brady, l'autre, avait décidé que je devais m'interrompre pour l'écouter.

- Arrêtez-vous une minute, monsieur Portugais.

Moi, raisonnablement accommodant, j'ai poursuivi ma méditation en utilisant cette interruption comme un point d'ancrage pour mieux me concentrer.

Brady a commencé à être grossier :

- Vous êtes au Québec ici, répondez quand on vous parle !

Quand j'ai terminé, sans enlever mon accoutrement, je lui ai répondu :

- Monsieur Brady, si vos ancêtres sont arrivés ici pendant la famine de la pomme de terre en Irlande, il y a cent ans, certains des miens sont enterrés ici depuis 1657 et d'autres depuis au moins quinze mille ans, après leur passage par le Détroit de Behring. Restez donc poli avec les indigènes québécois, surtout lorsqu'ils ont des ancêtres amérindiens…

Brady qui n'était jamais passé par le Détroit de Behring est resté bouche bée. Lébreux, ataviquement intimidé par mon accoutrement (et peut-être aussi à cause de son ancêtre homonyme Louis Hébert, apothicaire et colon, un fondateur juif de la nation Québécoise) s'est fait rassurant :

- Nous voulons juste savoir quels sont vos liens avec Carlos Noriega.

- Je l'ai connu il y a huit ans, en vacances en Floride.

- Comment ?

- Il gérait le gymnase de l'hôtel où j'étais descendu. Le Lido. Je parle un peu espagnol et nous nous sommes liés d'une amitié de vacances.

- Êtes-vous resté en contact avec lui ?

- Non. Je l'ai connu quelques jours à l'hôtel, et notre rencontre ici, après une interruption de huit ans, est purement accidentelle.

- Qu'est-ce que vous savez sur lui ?

- Rien ou presque. Enfin, je sais qu'il dirige les abattoirs Gélinas, qu'il est marié, qu'il a un enfant, qu'il a un diplôme en *Business Administration*, qu'il a fait trois ans de prison aux USA pour trafic de drogue, qu'il a été propriétaire d'un bar dans les Keys. Tout ça, je l'ai su par personne interposée.

- Vous êtes Canadien ?

- Oui. Mais j'habite New York, aux États-Unis.

- En tout, combien de temps l'avez-vous connu ?

- Carlos, je l'ai connu au plus, une quinzaine de jours dans ma vie…

Les hommes de la SQ, m'ont posé d'autres questions anodines, pour clore leur interrogatoire. Ils sont repartis, mourant d'envie de me demander comment on pouvait être Juif, Québécois pure laine et autochtone.

Je leur aurais répondu avec plaisir :

- En littérature tout est possible. Même l'impossible. En littérature une femme mariée avec enfant peut devenir vierge, un homme devenir dieu, et les Juifs qui ont révélé Dieu au monde peuvent être accusés de déicide. Et dans la réalité de tous les jours, les hassidim d'Outremont, qui ont plus en commun avec Jean le Baptiste, patron des Canadiens Français, que l'archevêque de Montréal, ces hassidim peuvent instantanément devenir les boucs émissaires d'une certaine presse.

CHAPITRE 42

À travers la baie qui donne sur le lac j'ai vu Madame Gélinas arriver au chalet dans sa petite voiture. Elle est restée quelques instants timides à m'observer en train d'écrire. J'allais mieux, je m'étais remis au boulot. Elle a frappé doucement sur la vitre en tenant un téléphone imaginaire contre son oreille.

- Jeannette a appelé de Floride. Dépêchez-vous, j'ai laissé Ninja seul... Prenez vos affaires avec vous... si vous voulez travailler. Ninja a demandé que je vous garde à dîner.

- Allo, Jeannette, qu'est-ce que vous faites en Floride ?
- Je suis aux archives judiciaires de Dade County à Miami, je visionne les vidéos de sécurité de l'hôtel Lido qui ont servi à vous condamner. Envoyez-moi un courrier électronique ici, me donnant l'autorisation de faire des copies en votre nom.
- Je fais ça tout de suite.
- Mais d'abord, parlons *business*. Je suis ici pour comprendre ce qui s'est vraiment passé avec ma sœur Jacinthe et pour aider Normand. Mais je crois que si j'assure votre défense, on pourrait obtenir jusqu'à huit millions. C'est la valeur moyenne aux USA des compensations pour une erreur judiciaire. Mais il faudra être patient. Très patient.
- Les quarante millions c'est fini ?
- Pour ça, vous devez signer avec Manfred et son bureau conseil. Moi, je vous demande dix pour cent de la somme que nous obtiendrons, plus mes dépenses ne dépassant pas deux pour cent du total des compensations.

- Un okay verbal, c'est bon ?

- Je vous envoie un courriel. Vous me répondez en deux ou trois lignes claires, ça suffira.

- Vous êtes sûre que vous pouvez faire mieux que Lieberman ?

- Non. Je l'ai déjà rencontré et nous allons travailler ensemble. Je ne peux pas pratiquer le droit en Floride et c'est un excellent avocat. Je vous lis les notes de ma rencontre avec lui. Le jury vous a condamné pour trois choses. Premièrement, vous avez nié avoir eu une quelconque relation avec Jacinthe…

- Je ne la connaissais pas. Je ne l'avais jamais rencontrée…

- Laissez-moi finir. Vous auriez pu vous en sortir, au pire, en avouant avoir eu une amourette de vacance avec elle.

- Mais il ne s'est rien passé entre nous. Je ne l'avais jamais vue…

- Donc premièrement, en niant la connaître, avec toutes les images des caméras de sécurité vous montrant en compagnie de Jacinthe, le jury était déjà contre vous. Deuxièmement, on a trouvé des traces de votre ADN sur sa personne. Troisièmement vous avez signé une confession. Ces trois choses là vous ont condamné.

- Confession ? Vous savez très bien que je n'ai signé aucune confession ! Comment Lieberman et vous allez me défendre ?

- Dans le dossier de photos sur votre ordinateur, il y a deux hommes avec Jacinthe, à part vous, deux hommes présents à l'heure établie du meurtre. Deux hommes jamais mentionnés durant votre procès. N'importe quel juge accepterait immédiatement une demande d'appel. Lieberman est tout à fait d'accord.

- Jeannette ?

- Oui…

- Finalement, vous et Elinor, m'avez à la fois, condamné et exonéré avec ces photos, c'est à n'y rien comprendre. Vous m'avez toutes les deux, fait subir le même sort.

- Alex ? Passez-moi ma mère, je veux prendre des nouvelles de Ninja.

- Il est juste à côté de moi. Nous étions en train d'écrire une de ses histoires magiques en attendant votre appel. Arcane le magnifique… Attendez, il m'enlève le téléphone des mains. Ninja, une minute !

- Alex, avant de me passer Ninja, une dernière chose, mais urgente : regardez les photos et rappelez-moi au Lido. J'ai besoin de l'identité de ces deux hommes que l'on voit à part vous, pour monter mon dossier.

- Vous êtes au Lido ? Ça existe toujours ? Un Instant Ninja, je n'ai pas fini, je te passe tout de suite ta mère…

- Oui, ça s'appelle le Trump Lido Surfside ou quelque chose de semblable. Attendez, voilà le prospectus ! Le *Trump Lido Palace, in Surfside*, chambre 614. Je suis descendue ici parce que j'avais besoin d'inspecter les lieux où tout cela s'est passé. Alex, passez moi Ninja !

Et juste avant que je lui passe son fils, qui trépignait d'impatience à côté de moi, elle a soufflé dans le téléphone :

- O, Ninja, Ninja mon amour, tu me manques tellement…

Je ne suis pas stupide, mais ce qu'elle a dit à son fils dans mon oreille, a dérangé quelque chose dans l'ordre de ma tête… Je ne suis pas bête, c'est comme si elle me parlait à moi, à travers son enfant.

Pourquoi est-ce que les femmes font ces choses là ?

CHAPITRE 43

Elinor m'a envoyé une note chez les Gélinas, avec un chèque de mille cinq cents dollars américains libellé à mon nom, Alexis Portugais, avance sur manuscrit, d'une grosse maison d'édition new-yorkaise, pour ce roman que vous êtes en train de lire. Mon premier chèque de paie depuis ma sortie d'enfer.

Alex, chez Glover Press, ils ont apprécié les premiers chapitres que je leur ai envoyés. Considère ça comme une avance sur manuscrit. Rappelle-moi à Phoenix, s'il te plait!

Mille cinq cents dollars ! Si je n'avais pas la gratitude indigène, je dirais, le coût d'un déjeuner d'affaires pour cadre supérieur d'une maison d'édition américaine. Ou vingt mois de salaire pénitentiaire.

Maintenant que Lily n'avait plus peur que je l'égorge dans son bain, ni ne l'assassine au sida, elle reprenait son rôle de mécène avec moi. Cependant, en faisant jouer le jeu des amitiés chez les puissants du milieu de l'édition, elle installait un mur entre nous. Un barrage qui séparait définitivement les eaux mêlées de notre intimité.

Comment savoir si cet argent venait de gens qui m'avaient lu ou qui lui devaient une faveur ? Mais je n'avais pas le choix. J'ai encaissé le chèque à la caisse populaire de Sainte Julie, après des tracasseries que je passerai sous silence. Il était temps que je rentre à New York mettre les choses au clair avec Lily. J'allais mieux et le plan de mon livre était fini. Enfin, presque…

Madame Gélinas m'a proposé de me conduire au bus. Comme tous ses oisillons s'étaient enfuis du nid, à part Ninja, je crois qu'elle était soulagée que je parte, même si elle appréciait autant que Ninja, les quelques instants que nous passions ensemble le soir, après une longue journée, pour elle à l'usine, pour Ninja à l'école, et pour moi au chalet.

J'ai placé mille dollars canadiens dans une enveloppe que j'ai glissée dans la poche de maman Gélinas, pour mes dépenses médicales et autres. J'ai embrassé Ninja qui avait insisté pour m'accompagner avec sa mémé. Il a pleuré un peu, et je suis monté dans l'autobus pour Montréal.

De l'autre côté de la vitre du véhicule en marche, madame Gélinas qui avait découvert mon geste subreptice brandissait mon enveloppe d'un air de reproche. Elle pinçait les lèvres et secouait la tête en disant, quel fou !

Montréal. Pas sur les ailes d'un aigle, mais sur le dos d'un lévrier, j'ai été transporté avec des hassidim d'Outremont dans un autobus climatisé jusqu'à Brooklyn, New York, pour la somme de cinquante cinq dollars canadiens.

À Brooklyn, fendant une foule chapeautée de noir qui allait dans l'autre direction, je suis descendu dans un passage souterrain aux murs recouverts de carreaux de céramique jaunes et noirs. Le sol de ces interminables couloirs, maintenant déserts, était goudronné de chewing-gum, couvert d'immondices compactées, de seringues écrasées. Artefacts effacés, censurés, fossilisés par des millions de pieds et de chaussures de toutes les couleurs.

Solitaire sur la plateforme maculée d'une odeur de croupi, je suis entré dans la rame vide du dernier métro de la nuit. Le train s'est mis en marche dans un grincement de protestations infernales. Je n'étais pas seul.

L'espace entre les stations, comme l'espace entre les mots, vide essentiel, était rempli de sens pour qui voulait entendre. Des créatures sans ailes grouillaient dans l'intervalle, à quatre pattes, comme des rongeurs asexués, entre poubelles et sacs de plastique, leurs ombres fuyantes projetées à toute vitesse sur les graffitis des murs glauques.

Cette caverne transpirait la précarité de ceux qui, invisibles, dormaient le jour, et faisaient leurs besoins la nuit dans les souterrains de la civilisation.

Décidément, aux extrêmes de notre arc en ciel de vie, il y a deux types de créatures de la nuit. Les hassidim qui cachent parmi eux trente six justes tenant le monde entier entre les mains de leurs prières, et la matière humaine excrétée, les survivants invisibles des stations de la nuit.

Dans les plateaux de la justice céleste, ces deux groupes de créatures nocturnes exercent une force qui s'annule. Le monde survit grâce à elles.

Le monde matériel survit grâce aux rejetés. Dis-moi qui est sacrifié dans tes prisons, dans tes asiles de fous, dans tes rues de sans-abri, dans les souterrains de tes métros et je te dirais quel monde tu es.

Le monde spirituel survit grâce aux hassidim, à ces figures christiques, crucifiées depuis l'aube de la civilisation, parce qu'elles prient pour notre salut en absorbant l'image de nos fautes.

J'ai pris le *E-train* jusqu'à la huitième rue à Manhattan et j'ai marché, les poumons ivres d'un air tiède sulfureux jusqu'à Bleecker Street, tirant mon sac de voyage.

En entrant à notre appartement de Greenwich Village, j'ai compté mon argent. Il me restait quatre cent vingt cinq dollars, mais Elinor n'était pas là. Probablement encore chez sa mère à Phoenix. Qu'est-ce qu'elle attendait pour rentrer ?

J'ai essayé de dormir seul dans un de nos deux lits géants, son idée à elle, dans l'unique chambre à coucher du loft transformé en appartement, et je suis resté réveillé au milieu d'une autre nuit de New York. Mini ordinateur en mains, je suis allé jouer mon rôle d'écrivain en public.

J'ai pris un macchiato au café Babylon, en face, sur la rue Cornelia. On servait déjà à manger à ceux qui avaient terminé leur quart de nuit. Des chauffeurs de taxi, des prostitués des trois sexes, des portiers d'hôtels, des barmen, et quelques touristes étrangers en mal de Halles parisiennes.

À l'heure où l'on sortait les poubelles et l'on arrosait les rues, j'ai commencé à mettre de l'ordre dans mes notes, dans mes personnages et dans mon texte. L'ordre dans ma vie suivra.

Écrire à Manhattan, quand on est à deux rues du centre de l'univers, c'est comme écrire devant son propre échafaud. Quelque chose dans l'air et dans la foule y pousse. Lorsqu'on se rapproche de la fin du monde, les battements d'un cœur qui va s'éteindre deviennent de plus en plus lourds.

Le silence du bord du gouffre force à crier. Écrire, écrier, encrier ? Dire les choses comme elles sont, avant qu'on ne se lance tête en avant, dans le vide de l'écho de nos dires.

New York. Une grande gare où les voyageurs pressés de partir déclarent la vérité comme on déclare la guerre, et dictent le quotidien comme des autocrates. Les autres, les trahis de la vérité, ceux d'entre les stations de la nuit, les passagers de l'espace entre les mots, ceux qui manquent les trains, ceux-là s'égarent et s'essoufflent dans les salles d'attente de la gare des égarés.

Écrire à Montréal est beaucoup plus difficile parce qu'il faut passer à travers la dispendieuse frontière de la politesse des personnes et la douane de la beauté des paysages. Et puis que dire de cette Suisse nord-américaine dont j'ai fui les cantons, encore adolescent ? Cette Suisse de sept millions de presque géants qui se prennent parfois pour des nains. Cette Suisse au nationalisme qui se cherche et qui parfois, lors de vraies crises d'identité nationale, s'affirme gauchement contre les membres les plus faibles de ses minorités les plus visibles. C'est la faute du vote ethnique, et de l'argent. Des immigrants et des Juifs.

Nous sommes tous des Juifs immigrants.

Étouffant dans les fourches caudines de ses institutions culturelles, j'ai choisi à dix-huit ans un autre enfermement, le corps des marines de l'armée américaine. À cause de mon père, ce salaud de capitaine au regard si pur. Il m'avait tellement emmerdé avec son héroïsme pendant la guerre de Corée. Guerre de Corée. Corée, Corée, Corée.

J'ai fait le choix des marines comme des millions d'autres québécois ont choisi, il y a cent ans, les filatures de la Nouvelle Angleterre ou plus récemment, la Californie et la Floride. Si on leur avait fait la place, on serait douze millions. On n'aurait eu besoin ni d'immigrants ni d'accommodements. Mais, on ne peut pas tous triompher à *Star Academy*.

Écrire ici, dans le Village, à deux blocs du Chelsea, à une rue de la *factory* de Warhol, au coin du Bleecker Street Cinéma où l'on joue encore Come Back Africa de Lionel Rogosin, au coin du Village Gate café où Woody Allen raconte des blagues le jeudi après midi, et joue parfois de la clarinette, ici, écrire est une nécessité, pas une vocation. Un pétard sous les fesses, le silence du cœur du monde est un impératif.

Avant de m'endormir, j'ai vu un message clignoter sur l'ordinateur. Elinor.

Elle était à Phoenix chez sa mère qui allait mieux, même si aujourd'hui elle ne reconnaissait pas sa fille. Lily allait rester un peu au ranch, les chevaux avaient besoin d'exercice. Leur régime alimentaire habituel, maintenu pendant quatre mois d'inactivité, depuis notre mariage, faisait craindre à Lily une crise cardiaque pour Vigo, un sauteur anglo-irlandais âgé, mais plein de talent...

Avec ses détails sur l'orge et l'avoine, la tendinite de Juno, sa petite jument arabe, ou le souffle au cœur de Vigo, Lily dévoilait ses priorités. En s'investissant à l'écurie, elle reléguait la pensée du nous totalitaire, de notre couple sacré plein de larmes et d'espoir, à l'auge vide du passé.

En plus elle avait la délicatesse de ne pas mentionner le roman dont elle faisait la promotion, et dans lequel elle n'avait plus peur que je la tue.

J'ai dormi en plein jour, à l'ombre de la nuit, avec le sentiment que quelque chose était terminé, qu'un puits d'enthousiasme s'était vidé, qu'une rivière de sens s'était évaporée, un lac de complicité desséché. Dans peu de temps cette forêt dense dévastée par la foudre deviendra clairière, se couvrira d'herbes folles, de petits fruits mûrs rouges et noirs, plus tard d'arbres à aubier tendre, et dans trente ans encore le bois dur prendra le dessus.

Dans cinquante ans je serai déjà mort.

Je n'avais plus de raison de rester ici.

Tout est vanité.

CHAPITRE 44

J'ai appelé la chambre 614 au Lido.

Jeannette Gélinas n'y était pas. Comme un zombie, j'ai pris l'avion du rêve pour le Lido Cinq Étoiles et j'ai atterri à la piscine. Vous pensez bien qu'elle y était.

Allongée à ma place, la tête à l'ombre des feuilles de palmes que Trump avait conservées en les plastifiant en trompe l'œil. Elle avait mon verre de Martini, olive incluse, dans sa main et avait laissé choir le quart de brique qu'elle lisait. Une couverture noire avec en lettres de feu le mot Gitane, écrit en capitales.

Sa bouche presque fermée, laissait s'échapper un mince filet de bave vitale. Je me suis penché, tout habillé et j'ai mordu à son cou, juste pour voir. Sa bouche s'est grand ouverte et elle a mordu à ma morsure. Nous nous sommes confondus l'un à l'autre, l'autre buvant à la source de l'un buvant à la source de l'autre.

J'ai commandé un autre macchiato au café Babylon, j'ai payé sans le boire, j'étais riche, j'avais le choix. Il était temps de dormir. Je suis rentré, soleil levé, et avant de me coucher dans mon grand lit, j'ai appelé.

Chambre 614 au Lido.

- Ms Jeannette Gélinas, *please.*
- Payé sa note, et partie.
- Où ?
- Elle n'a pas dit
- Pensacola en Floride, ou au Canada peut-être ?
- Aucune idée.

J'ai appelé les archives de la police de Dade County. Jeannette Gélinas avait terminé sa recherche. Elle était partie.

- Partie, partie ?

J'ai appelé le Pensacola Correctional Department. Même chose.

- *She was here yesterday.*

J'ai eu l'idée de demander Carlos Noriega.

- Qui le demande ?
- Un ami, Alex Portugais, de New York.
- Attendez une minute…
- Quel est votre nom ?
- Alex Portugais.

Quelques minutes d'attente, et Carlos arrive au parloir.

- Alex, comment tu as fait pour me trouver ?
- Jeannette…
- Elle est dans la merde… Elle a retrouvé son mari à Las Vegas…
- Vegas ?
- C'est une longue histoire. On me transfère demain. Laisse-moi une adresse e-mail, je t'écrirai.

Je lui ai laissé mon adresse, mais il n'a jamais écrit. J'ai trouvé ça surprenant, parce que, comment pouvait-il m'écrire ? Depuis quand les prisonniers en attente de procès pouvaient-ils correspondre avec l'extérieur ?

Le matin, une lettre électronique de Jeannette ressemblait à une météo du dimanche. Ensoleillé avec possibilité d'orage dans l'après-midi.

-Cher Alex,

J'ai retrouvé Jean-François à Las Vegas, au milieu d'un changement de plan de carrière et d'une production de vidéo musicale avec Lola, nom de scène d'une chorégraphe au Caesar's Palace, maintenant démoli. Lola. Ancienne danseuse, blessure guérie à la hanche, au cœur entièrement cicatrisé, elle a dix ans de plus que JF, malgré l'aide d'un excellent chirurgien esthétique.

Si j'avais le temps et n'avais pas tellement pleuré, je vous décrirais cette ville avec son Arc de Triomphe et sa Tour Eiffel grandeur presque nature, ses jardins suspendus, ses cirques d'eaux informatisés et ses millions de visiteurs ébaubis comme des campagnards à la ville. Et je parle en fille de la campagne.

Et en fille de la campagne, j'ai peur de m'appuyer sur les murs de ces gratte-ciels de Vegas, parce que j'ai peur qu'ils s'écroulent comme un décor de théâtre, comme ma vie de femme mariée aujourd'hui.

La dernière carte postale, que mon mari JF a envoyé à Ninja avait été postée de Las Vegas, à Noël. Un portier d'hôtel et un croupier, québécois tous les deux, m'ont aidé à le retracer.

Quand j'ai revu JF, il n'avait pas changé un brin, était toujours aussi charmant, plein d'idées et d'un inépuisable enthousiasme. Comme avait l'habitude de dire mon père, il ne lui manquait que quatre trente sous pour faire une piasse.

-Jeannette chérie, m'a-t-il annoncé, les yeux pleins d'étoiles en plein jour, la porno maison ne paie plus. L'Internet a ruiné la clientèle. La musique c'est l'avenir. La langue universelle.

J'ai découvert la nature et la profondeur de sa liaison avec Lola pendant un changement de costumes de ses acteurs-danseurs. Une flopée de talent à poil et à plumes, dont Lola est l'inépuisable procuratrice.

Durant cette pause, en plein tournage d'un *rock vidéo* plutôt déshabillé, Jean-François m'avait gentiment enlacée et me demandait des nouvelles de Ninja, de maman.

Lola-chorégraphe a foncé droit sur nous :

- Qui c'est celle-là ?

- Lola, je suis marié, et j'ai un enfant avec Jeannette.

- Tout le monde est marié à Vegas, la question c'est : avec qui tu vas rentrer dormir ce soir ?

Question à laquelle Jeannot n'a pu répondre assez vite, poussant Lola à menacer de renvoyer chez eux veaux, vaches, cochon, couvée, danseurs et musiciens. Déçue mais décidée qu'on ne l'y prendrait plus, le tollé qu'elle nous servit fut d'un tel burlesque que pauvre Jean-François ne sut plus à quel jupon se rallier.

Et moi qui n'avais jamais songé à mettre de limites à sa liberté ou un frein à sa créativité, j'ai eu tout d'un coup un ras le bol. Jusqu'à présent, j'avais perçu sa facilité à se recréer une famille là où il se trouvait comme l'envers de sa tristesse d'orphelin ballotté entre cent familles d'accueil différentes. Plus maintenant !

Cette histoire m'a dégoûtée une fois pour toutes de ma relation avec lui. J'en ai profité pour faire une pétition de divorce *hic et nunc*, à Las Vegas... Je dois y résider quelques jours pour ce faire. Je vous donnerai les détails sur ma recherche en Floride, quand je serai de retour à Sainte Julie.

Moi, je n'avais rien demandé. Entre temps, elle signait :

- Alex, merci pour l'influence positive et le travail que vous faites avec Ninja, mon fils. Embrassez-le pour moi.

Travail ?

Mais qu'est-ce qu'elle raconte ?

Une minute, là, oh, une minute...

CHAPITRE 45

Mes personnages m'ont complètement échappé. Chacun de son côté fait ce qu'il veut. Et moi là-dedans ? Qu'est-ce que je veux d'eux ? Avant que le roman ne file à tous vents comme un voilier sans capitaine, il me faut un entretien tête à tête avec chacun d'eux. À Manfred, gardien du *Trust Fund* de Lily, à son père toujours ailleurs, à Lily elle-même, à la mémoire de la mère de Lily, et même aux chevaux du ranch.

Du côté de chez Knoll, après une concertation tout à fait *business*, les personnages s'entendent. Pour eux, gens de pouvoir, tout est clair. De mon rôle de meurtrier formidable et sexy, un rôle de leader, ils m'ont ravalé au rang de *loser* incapable de se battre pour son innocence ou pour l'argent, le pouvoir, qui lui reviennent de droit.

Pour moi, cette histoire d'argent tourne autour de l'image du père, le père…

Excusez-moi si je vous ai brusqué avec mon histoire de *vous foutre mon poing dans la figure si vous me parlez de mon père*, enfin c'est ça le problème du père. Le problème du père c'est de ne pas pouvoir en parler, et ça suffit bien comme ça.

Derrière l'histoire du père qui m'énerve, et de l'argent que je refuse, il y a Lily. Elle m'a épousé à la vie, à la mort, comme on entre en religion. Mais une fois que la menace de la mort a disparu de sa vie, la vie, sa sexualité n'a plus ni moteur, ni voile, ni vapeur. Défroquée, sa libido marche maintenant à l'avoine.

Lorsque nous nous cherchions dans la nuit, éclairés par la lune obscure de nos espoirs réciproques, nous étions tous deux orphelins de deux rêves différents.

Comme une pendue qui tombait au bout de sa corde, elle hurlait son dernier cri, son ultime impuissance, se débattant dans la trappe des derniers spasmes de son imaginaire. Pendant qu'elle accédait à la jouissance par le goulet étroit, le passage étranglé de sa peur d'être assassinée, moi, je fouaillais ses galeries souterraines en cherchant à redonner vie aux ailes de la féminité.

Nous avions tous deux accès à l'autre par le biais d'une médiation. Non par le pur instinct de nous parfaire et de nous reproduire en mieux avec quelqu'un d'autre, mais par le truchement du culte rendu à une représentation.

Pour elle, j'étais l'idole de la mort qui redonnait la vie. Pour moi, elle représentait l'amour qui m'avait tant manqué depuis seize ans. Depuis trente ans. Depuis toujours.

Si tout est clair du côté des Knoll, et tout confus de mon côté, reste une inconnue, Jeannette Gélinas. Le personnage m'échappe. Si je me sépare légalement de Lily, il me sera impossible, même pour les besoins d'une histoire, d'enchaîner une relation avec la fille Gélinas.

La dernière fois que je suis passé d'une relation à une autre, j'ai mis un espace de huit ans entre deux femmes. Espace forcé, espace restreint. Huit ans de prison. Oh, je crois que je ne vous ai pas dit, mais, huit ans de prison après huit ans dans les *US marines,* après une autre histoire de femme. Un autre livre.

Huit ans d'armée avant la prison… Tu parles d'un régime sabbatique… En fait, mes premières vraies vacances après l'armée, je les avais eues au Lido.

Et puis, zut ! Pour ce qui est des relations avec les femmes, Jeannette ne m'a jamais signalé qu'elle s'intéressait à moi !

141

CHAPITRE 46

Entre Las Vegas et Montréal, Jeannette s'est arrêtée à Boston. Elle a visité le laboratoire où Elinor avait fait transférer les fameuses cassettes et m'a appelé de là, me sortant de la nuit lourde d'un sommeil de plein jour.

- Alex, j'ai du nouveau.
- Comment avez-vous trouvé mon numéro, Jeannette ?
- Il n'y a pas d'Elinor Knoll à Manhattan, mais il y a un Alex Portugais sur McDougall Alley, à Greenwich Village. Voilà !

Ah, oui ! Pour m'honorer, Lily avait établi le bail en mon nom, même si j'étais incapable de l'honorer financièrement !

J'ai pris la petite voiture de Lily qui dormait tranquillement dans le garage d'un immeuble voisin, j'ai foncé avant l'heure de pointe sur la *FDR drive*, longeant la rivière Harlem jusqu'à la 95 nord, et, après quatre heures d'autoroute parfumée au vinyle de voiture neuve, je suis allé attendre Jeannette chez Bookbinder's. Un restaurant de Boston qui sentait si fort la bouillabaisse qu'on l'aurait cru vaporisée en extrait par les ventilateurs du plafond.

Elle n'est pas descendue du ciel par un escalier en colimaçon éclairé par les feux de la rampe, précédée par une musique de boîte de nuit, par un porte cigarette en ivoire filiforme, par une brume d'organdi, un brouillard de crêpe de Chine à falbalas. Non. Elle a surgi comme une apparition sur un écran de brouillard.

Jeannette, bronzée abricot, sent l'arôme, la violette et le jasmin, mais ses grands yeux noirs sont cerclés de fatigue. À cause de son divorce, probablement.

- Alex, vous avez fait quatre heures de route pour venir me rencontrer… et je vous ai fait attendre une demi-heure, désolée…
- *Business is business…*
En me tendant sa main nerveuse, fine et musclée, elle expose beaucoup de sa peau. Elle est habillée comme une promesse qu'elle ne peut pas tenir ou, du moins, qu'elle ne peut tenir à tous les hommes qui la dévorent du regard.
Avec une soudaine lassitude, elle me dévisage :
- J'ai honte de le dire, mais tout ce que j'ai vu du reste des cassettes, me confirme que Jean-François est impliqué dans la mort de Jacinthe.
- Comment ?
- D'abord, je sais que JF avait voyagé avec Jacinthe en Floride, pour faire avec elle le *home movie* final, ultime, définitif. S'il était directement impliqué ou simplement présent au moment de la mort de ma sœur, je ne le sais pas encore. Mais, certains de ses comportements des dernières années me remplissent de doute.
- Et Normand Carlos Noriega là-dedans ?
- Jacinthe était dans une phase où elle expérimentait avec les hommes en toute liberté. Elle utilisait ses amants comme certains hommes utilisent les femmes, comme des jouets. Une fois, en descendant de l'avion, une autre fois en arrivant au Lido, elle a invité Normand à faire partie du film. Offensé par deux fois, il a refusé. Jacinthe poussait ses propres frontières, explorait sa liberté d'aimer qui elle voulait, quand elle voulait, comme elle voulait.

Un garçon de restaurant, en uniforme de marin d'opérette, balaie notre table d'un œil expert et s'adresse directement à Jeannette pour prendre notre commande. C'est normal, j'ai l'air fauché, même bien habillé. Jeannette, toute de

143

noir vêtue, façon de parler, parce qu'elle est plutôt déshabillée, incarne la féminité, l'autorité :

- Une bouillabaisse pour deux. Des croûtons à l'ail et une demi-bouteille d'Aligoté.

- On n'en a plus.

- Un blanc sec des Corbières, alors.

Là, Jeannette ouvre son ordinateur portatif sur un dossier intitulé « Claquettes » et me le montre du doigt :

- Regardez, Alex, des petits détails. Trois images que le labo ne vous a pas envoyées. Jugées inutiles. Trois titres imprimés au feutre sur une claquette de cinéma au début des trois cassettes.

Elle ouvre le dossier et devient narratrice :

- Première claquette, Halloween. Scénario porno classique. Un soir de Halloween, un mari saoul, on voit des bouteilles d'alcool près de lui, cuve son vin. Il est masqué devant la télé ouverte sur un film en noir et blanc. Vous, Alex, profitez de l'inattention du mari, et vous vous ébattez avec sa moitié devant son sofa pendant que Jacinthe vous supplie d'être discret. Scénario super subtil…

- Mais c'est mon rêve !

- Vous l'avez raconté aux enquêteurs et le procureur l'a ressorti au procès comme la confession d'un tueur. Vous vous êtes condamné vous-même.

Mais à la fin, l'homme masqué se lève, vous bouscule et reprend ses droits. Il vous remplace, pendant que vous Alex, regardez la télé, d'un air hébété.

- Mais qui est cet homme masqué ?

- Jean-François, sans aucun doute. En plus, pour moi qui connais son style, seul mon ex peut être le réalisateur et l'acteur de ce porno maison à épisodes. Il en a fait des dizaines de semblables.

Regardez Jacinthe en gros plan. Elle flanque un coup de pieds à JF. Il veut s'imposer, elle crie, elle veut lui arracher son masque. Ce n'est plus du cinéma, c'est du documentaire. L'homme masqué bat en retraite. Un troisième larron entre en scène. Il a l'air latino, cheveux très longs, crépus et finement tressés.

Il console Jacinthe, lui prépare à boire. En gros plan on voit qu'il a un anneau dans le nez, un sur les lèvres et un sur les paupières… regardez, un tatouage de loup mexicain sur le cou…

- Mexicain ?

- Oui, un loup normal, mais avec des tâches jaunes sur les oreilles.

- El Lobo, je le connais ! C'est El Lobo, un garçon de plage au Lido.

- El Lobo ? Au Lido ?

- Oui, c'est lui. El Lobo, un réfugié cubain. Yeux de biche et dents de loup. C'est lui que j'ai rencontré en prison, qui m'a dit où retrouver le bar de Carlos dans les Keys, je veux dire le bar de Normand. Faites marche arrière et ralentissez.

- Ma sœur consolée, l'homme tatoué lui donne un verre à boire et l'emmène à la fenêtre. On vous voit de loin, Alex, en train de lire à la piscine. Observez Jacinthe. Elle ouvre la baie et sort sur le balcon, un peu figée. Elle reste longtemps à vous observer. El Lobo sort lui parler, elle passe devant la caméra et sort du balcon.

On la voit, en plongée, traverser l'esplanade de la piscine en bikini et s'asseoir près de vous. Vous l'ignorez. Elle vous suit lorsque vous vous levez. J. F. utilise une lentille téléphoto de 1.000 mm. Le cadrage est incertain, mais l'image est très claire.

- Attendez, alors je n'ai pas rêvé, c'est vraiment arrivé ! Mais je ne comprends plus rien. J'ai une relation sexuelle avec Jeannette et ensuite elle me regarde du haut de son balcon quand je suis allongé à la piscine…

- Jeannette c'est moi.

- Pardon j'ai une relation avec Jacinthe... et… Mais c'est quoi ce mélange, je n'y comprends rien ?

- C'est du montage. La scène documentaire où elle se bat avec JF, est tournée en plans rapprochés et vous êtes visiblement absent de l'image. Cette scène a été tournée bien avant, improvisée, si je connais JF. On voit bien que Jacinthe a l'air surprise, choquée, même.

Celle où Jacinthe vous observe et l'on vous voit allongé à la piscine a été tournée plus tard. C'est facile à vérifier. On peut voir les codes en temps réel inscrits sur le bord de l'image. C'est du montage. C'est moi qui montais les films de JF quand j'étudiais à la faculté de droit.

Jeannette n'a plus envie de se raconter. Ses yeux se voilent. Elle ferme l'ordinateur.

- Et ?

- Je suis comme vous maintenant. Ces images me dégoûtent. Je vous avais demandé d'identifier les deux hommes, eh bien, vous l'avez fait pour El Lobo, moi j'ai identifié Jean-François, le père de mon enfant. Maintenant, cette histoire de film me donne envie de vomir.

- C'est vraiment Jean-François ?

- Une femme reconnaît son mari. En plus, le logo de sa compagnie de films est visible sur chacune des claquettes. J.F.G. Productions. Les Productions Jean-François Gélinas.

- C'est tellement énorme, ça paraît impossible. Comment serait-il impliqué dans le meurtre de Jacinthe ?

146

- Je ne le sais pas plus que vous, et en ce moment, j'ai plutôt envie de le tuer que de le lui demander...
Elle pause un instant :
- Mais c'est mon frère, enfin mon frère adoptif.
- Votre frère adoptif et votre mari, quelle salade !
Jeannette est préoccupée par autre chose.
- Avec tout ça, je ne peux plus assumer votre défense.

CHAPITRE 47

Moi, ça m'est égal que Maître Jeannette Gélinas ne veuille plus assumer ma défense. L'idée d'aller en appel, après avoir purgé huit ans de pénitencier, ne vient pas de moi. C'est une idée des Knoll. En me rendant riche, ils se débarrassaient de moi comme prédateur de jeune héritière naïve et fortunée. En deuxième, l'idée vient de Jeannette. Elle a fleuré un bon coup. Un million moins les dépenses, de quoi renflouer l'abattoir Gélinas.

Tant mieux si Jeannette ne peut plus me représenter, il n'y aura pas d'histoire d'argent entre nous. Comme elle est belle ! Elle souffre ! Son front est balayé par une tempête d'incertitude. Violent ressac sur la digue du devoir, vaguelette mourante sur la plage du désir.

Quel con ! Je poétise sur une femme en deuil…

Je me suis mis à remplir l'appel du vide :

- Jeannette, la bouillabaisse est vraiment immangeable. Ma grand-mère la faisait à l'ail, au safran avec une dominante rascasse. Celle qu'on nous a servie, ressemble à un *clam chowder* façon Nouvelle-Angleterre. De la crème, des légumes, fécule de maïs et autres, tout sauf une bouillabaisse, une vraie, avec une rouille, et sans croûtons.

Dans le restaurant, tous les visages masculins sont tournés vers Jeannette. Objet de désir. La colère, la tristesse, la détermination, l'enveloppent d'une aura de femme idéale.

Un homme au bar attire mon attention. Il a la stature du chauffeur de limousine des Knoll à Sainte Julie. Sauf qu'il a troqué sa casquette de chauffeur pour celle de la Police de New York et il masque ses yeux derrière la demi-lune de ses verres fumés.

Je me suis excusé et suis allé droit sur lui.

- Qu'est-ce que tu fais à Boston ? C'est Lily qui t'a demandé de me suivre ?
- Ben non, câlisse, je travaille pour Manfred.

Mon mépris le secoue.
- Enfin pour Knoll, mais pas pour sa fille. T'as rien à craindre de Lily, elle est partie dans l'ouest des *États*.
- Je suis au courant.

Mal à l'aise il change de sujet :
- Jeannette, c'est ton avocate. Je la connais, c'est la fille Gélinas, des abattoirs… Je sais qu'elle va te défendre.

J'arrache l'écouteur de son oreille, et en tirant le fil, j'expose le minuscule enregistreur caché dans la poche de sa chemise. Je retourne à table pour voir où le micro est planté et je le trouve intégré au col de la bouteille de vin.

Je le montre du doigt à Jeannette et je pose la paume de ma main sur la puce électronique pour la rendre sourde :
- Regardez Jeannette, on a posé un micro à notre table, je ne sais pas pourquoi. Mais faites-moi confiance, levez-vous et laissez-moi faire.

Elle se lève étonnée, regarde du côté du gars qui nous observe au bar comme un enfant pris en faute. Elle le reconnaît. Il lui fait une grimace résignée, en rajustant ses verres fumés.
- Jeannette, vous me faites confiance ?
- Pourquoi ?

Je l'attrape par une épaule nue et par la taille et je la bascule pour un baiser-tango. Elle fait un pont complet, sa jambe droite exposée, émergeant de sa robe fendue, élevée en pointe jusqu'aux ventilateurs du plafond. Je mords à son cou. Elle ne répond pas. Ensuite je l'embrasse d'un baiser plus doux qu'un Asti Spumente.

Et si vous n'aimez pas, vous n'en avez jamais bu au sortir de la cuve. Pas la cuve de fermentation première, la deuxième, celle avec la pression des bulles. Une douceur acide qui passe de la glotte à l'arrière des yeux et liquéfie le cerveau…

Je lui fais faire deux virevoltes de boogie-woogie, et la coince, yeux dans les yeux, debout contre la table à dîner.

- Jeannette, est ce que je peux vous faire l'amour ?
- Ici, en public ?
- Oui, ça serait normal pour deux ex pornographes. Avec vous au montage et moi comme acteur, on pourrait battre des records de créativité.

Je me rapproche du col de la bouteille et je crie :

- Jeannette je vous prends ici, tout de suite ou bien on prend une chambre d'hôtel ?
- Arrêtez Alex, je prends un avion dans une heure.
- Ah, un avion… alors, on fera ça dans l'avion.

Et là, je l'embrasse encore, embarrassée, pendant que l'imbécile au bar nous observe, estomaqué.

Voilà ce que je voulais du personnage Jeannette. Elle, tout absorbée par son divorce, ne donnait aucune prise à mes fantasmes d'écriture. Elle m'a regardé droit dans les yeux sans prêter attention à mon micro imaginaire :

- Alex, c'est urgent, il faut que je te parle de Carlos.
- Tu ne l'appelles plus Normand ?
- Non, il s'appelle Carlos Noriega et il travaillait pour la CIA, maintenant pour le FBI. Je sais que tu garderas le secret, mais ils vont le condamner, le mettre en solitaire et ils vont le faire disparaître.
- Disparaître ? Ils vont le tuer ?
- Faire semblant de… Le truc classique. L'infirmerie de la prison, où il va mourir d'une maladie entre guillemets ou bien une mise en scène de suicide dans son cachot.
- Tu n'as pas peur de me dire cela, à moi ?
- Je crois que tu es plutôt discret…

Moi, je l'ai charriée un peu puisqu'elle ne pouvait plus me défendre :

- C'est normal, le secret entre un avocat et son client.

- Grâce à Carlos, il y a quelques années, le FBI a démantelé un des plus gros réseaux de distribution de drogue aux États Unis. Il a fait pareil au Québec avec les bandes de motards.

Maintenant, il va se cacher quelque part, dans un pays au sud du Mexique grâce à un programme de protection des témoins. Le plus difficile sera de lui faire parvenir sa femme Jovette et son petit, sans éveiller les soupçons des motards. C'est là que je compte sur toi.

- Je ne comprends pas comment.

- Accompagne moi à Montréal. Je t'expliquerai.

- En voiture ? Je ne peux pas. Je suis venu de New York avec la voiture de Lily.

- Non, en avion. Attends, j'ai une idée.

Jeannette s'est levée. Elle est allée au bar parler au chauffeur de limousine, champion détective. Elle m'a montré du doigt et elle est revenue me prendre par la main.

- C'est réglé. Télesphore va nous accompagner à l'aéroport, et il reconduira la voiture de… de… Lily au siège social des Knoll. C'est près d'ici, tu sais.

- Comment as-tu fait pour le convaincre ?

- Pas compliqué. Je lui ai dit, si tu veux *une job* de livreur aux abattoirs Gélinas, comme tous les étés, tu nous conduis à l'aéroport.

Ce que nous avons fait sur le chemin de l'aéroport de Boston, sur la banquette arrière de la voiture de Lily, et sous le regard rétrovisant d'un autre homme masqué, livreur de viande d'été aux abattoirs Gélinas, appartient déjà à la fiction.

CHAPITRE 48

Pendant que Télesphore se faufile dans le trafic qui mène à l'aéroport Logan de Boston comme un motard sur une *Screaming Eagle*, Jeannette me tutoie comme si elle l'avait toujours fait, devant son écran allumé :

- Regarde Alex : Claquette numéro deux intitulée, Monkey Girl, avec un sous-titre :

A wilderness of monkeys. Comment traduire ça ?

- Une jungle de concupiscence ?

- Pas mal. JF pensait qu'il suffisait de citer Shakespeare pour ajouter une touche de haute culture à son pauvre cinéma cochon.

- Comme Jean-Luc Godard, quoi !

On voit un chimpanzé habillé, rasé et coiffé comme un être humain, qui joue avec une Jacinthe effrayée, mais curieuse. Ils s'enlacent. Le singe lui fait une bise en mission commandée. Lèvres en extension comme un bec de carpe à bout de souffle dans un vivier en plein été. La réaction de Jacinthe est anti-érotique. Elle a l'air d'un enfant embrassé mouillé par une tante qui sent la cannelle et le vieux dentier.

Après l'échec de la scène, ni comique, ni érotique, on entend les directives du dompteur, perçu pendant quelques images, habillé d'une chemise rose à manches de corsaire. Sa bête de cirque en mains, il porte la même coiffure qu'elle, cheveux noirs, raides, la raie du côté droit, le même léger strabisme :

- *Good girl, Wawa, good girl ! Say bye bye, say bye-bye, Wawa… Kiss…*

- Jeannette, je connais ce type. Il y a huit ans, il donnait un spectacle avec sa guenon, au bar du Lido, intitulé Monkey

152

Girl. Il la faisait danser à claquette, rouler en patins à roulettes... Pour le clou du spectacle, il lui faisait faire un *strip-tease*. Une femelle singe à poil...

- À poils ?

Pendant que Jeannette paie mon billet pour Montréal sur l'ordinateur, avec le reste de mes économies, elle me dit :

- La plupart des images étaient irrécupérables, mais je suis arrivée à faire transférer presque toute la bande sonore.

- La bande sonore ? Lily n'y avait pas pensé.

- Écoute ce qu'on entend en anglais après la scène avec le singe :

- *Une femelle chimpanzé ça vaut rien, ce qu'il te faut c'est un chien, un mâle bien monté.*

On entend Jacinthe rire nerveusement. Quelqu'un parle brièvement au téléphone en espagnol.

- Attends ! Rejoue la partie en espagnol !

Jeannette fait marche arrière. Je reconnais la voix :

- C'est El Lobo qui parle. Un vrai mythomane. Il adorait fabuler sur les belles étrangères. Il les réinventait en touristes nymphomanes qui lui laissaient leurs numéros de chambre avec des yeux de braises. En vérité, pour obtenir une serviette ou une chaise longue, tous les clients, hommes ou femmes, jeunes mannequins ou vieilles variqueuses, devaient lui laisser leur numéro de chambre ! En prison tout le monde l'appelait El Loco. Le cinglé.

- Qu'est-ce qu'il dit en espagnol ?

- Rien. Il demande des nouvelles à quelqu'un de... Castro, il mentionne le nom Castro... Où est passé Castro ? Je ne comprends pas bien.

On arrive à l'aéroport de Boston. Pendant que Télesphore sort un nombre invraisemblable de valises appartenant à

Jeannette du minuscule coffre de la voiture, elle me montre les dernières images :
- Titre de la cassette numéro trois, *Gone to the dogs*. Jetée aux chiens. C'est la cassette la plus endommagée.
La dernière image est presque brûlée, mais on voit distinctement un grand Rotweiler, avachi sur le plancher, la tête inclinée sur le côté, langue pendante. El Lobo secoue sa laisse pour le réveiller.
- Alex, tu as vu toutes les images que les gars du labo ont pu récupérer.
- Bravo, tu es arrivée à obtenir deux fois plus d'images qu'ils n'en ont envoyé à Lily. Plus le son auquel nous n'avions pas pensé.
- Qu'il nous reste à écouter.
- Tu peux repasser El Lobo avec le chien ?
Elle rejoue la scène silencieuse. El Lobo bouge les lèvres en répétant le même mot.
Télesphore cogne sur la lunette arrière. Pantomime. Il est pressé. Pas content. Va se faire engueuler par son patron. Il montre du doigt sa montre et les bagages sur trois chariots. Il doit rentrer à Boston.
Jeannette va fermer son ordinateur. Je l'arrête :
- Rejoue la scène s'il te plaît !
- Alex, on a juste le temps d'attraper le vol.
Je remets le curseur sur la scène intitulée El Lobo.
- Regarde, Jeannette, El Lobo dit quelque chose en secouant le chien. On dirait qu'il répète un mot.
- Il ne dit rien, il n'y a pas de son.
- Regarde. Il bouge les lèvres. On dirait qu'il dit Castro…
- Castro ? On verra plus tard, ma batterie est à plat.
Pendant le décollage, Boston ressemble à une forêt.

CHAPITRE 49

Nous survolons Montréal, encore une forêt dense crevée d'innombrables piscines turquoise. Les roues de l'avion réfrènent un brûlant hurlement sur la piste de l'aéroport Trudeau.

Jeannette observe par le hublot une rivière d'asphalte qui défile. Sans me regarder, elle demande gravement :

- C'est pour en finir avec Lily que tu t'es permis certaines privautés avec moi, devant le détective des Knoll ?

- Oui, excuse moi si je t'ai utilisée. Moi aussi, j'ai eu un ras-le-bol. Lily m'a soupçonné d'être alcoolique, de l'avoir contaminée au sida et d'être un chasseur de fortune. En ajoutant l'adultère, j'ai voulu mettre une touche finale au portrait de l'auteur en meurtrier pornographe.

Jeannette, imperméable à mon humour noir, regarde mes yeux maintenant :

- Ah, j'oubliais ! Alex, j'ai fait copier les bandes magnétiques des douze caméras de sécurité du Lido. Six caméras intérieures, six extérieures. Mes valises en sont pleines et ça m'a coûté une fortune en excédent de bagages! J'ai transféré tout ce qui bougeait, une heure avant, une heure après le crime.

Ces bandes vidéo pèsent dix livres chacune et je ne sais pas où trouver un vieux magnétoscope pour les visionner.

- Dans une vieille station de télé, à Sainte Julie ?

- Non ! J'ai une idée ! Si je peux les faire digitaliser, on pourrait les regarder sur l'ordinateur.

Après seize ans d'exil dans un monde asexué, j'admire ces femmes d'aujourd'hui, mais je ne les comprends pas pour autant.

- Alors, on s'arrête à Montréal ?

- Juste le temps de trouver une maison qui fait des transferts de vidéos.

Nous sommes descendus dans le quartier du Plateau Mont-Royal à Montréal, où des amis de Jeannette nous ont hébergés. Un beau condo, avec aspirateur central et cheminée à manteau en marbre d'origine, enfin, pas d'origine de l'immeuble minable avant rénovation, mais d'origine transplantée, importée dans le condo comme antiquité d'origine.
Comme moi.
Je vous dis ça comme ça. Parce qu'après avoir rencontré les amis de Jeannette, je n'ai rien pu faire d'autre que de sortir me soûler seul dans un bar du Plateau, moi qui ne bois jamais.
À part mon allergie à la normalité, j'avais une autre raison de boire. Même si mes personnages et leurs motivations m'étaient claires, j'étais la pièce du puzzle qui me manquait.
Moi, l'Auteur, je savais ce que mes personnages voulaient, mais moi, moi, avec un *m* minuscule, où en étais-je ?
Moi. Une antiquité historique, quarante siècles du haut de mes pyramides… moi, survivant d'un peuple statistiquement inexistant, fossilisé d'après certains, mais qui a engendré l'Occident et l'Islam.
Des milliards d'individus, des dizaines de civilisations qui ont toutes essayé de nous éliminer pour avoir osé les mettre au monde.
Une antiquité comme moi qui doit boire pour fuir la vérité, ou bien pour la dire. Boire. Pour cesser de parler à travers mes personnages, et tenter de m'exprimer moi-même.
Je ne comprends pas ce que j'écris, ni pourquoi.

Pourquoi a-t-on essayé de nous détruire, nous, et les femmes, les noirs, les enfants, les Amérindiens, les fous, les vieux, les Roms, les handicapés, ceux du Darfour, du Biafra, les Arméniens et tous les autres que j'oublie ?

Je ne suis qu'un survivant affolé de plus, qui ne comprend rien.

Moi, transplanté comme un greffon étranger dans un continent qui a quatre siècles d'histoire écrite. Moi, qui sais qu'écrire n'est qu'un masque pour les grands brûlés, une canne pour les boiteux, un œil de verre pour les borgnes, une aria pour les aphones de l'opéra de la vie.

Écriture. Cri qui sort distillé de la toile d'un peintre, des planches d'un théâtre, d'un décor de cinéma, de la feuille blanche d'un écrivain.

Oh, mais le monde n'est pas juste divisé en deux, à gauche les déprimés, à droite les gueulards égarés ! Il y a aussi des gens simples, heureux, sans histoires et qui ne cherchent rien, parce qu'ils ont trouvé. Comme les amis de Jeannette. Et moi, criard muet, je les envie d'une envie verte comme un printemps.

Le monde est leur huître qu'ils gobent dans sa coquille avec la perle du désir, un verre de beaujolais nouveau à trois cents dollars la bouteille, à la main. Au mois de Mars. Si j'envie les amis de Jeannette, ils m'écorchent vif.

Eux peuvent célébrer. Leur messie juif est déjà venu. Le nôtre, le vrai, est en liste d'attente, et pas en rupture de stock, puisque nous arrivons à produire allègrement, bon siècle, mauvais siècle, un faux messie par génération, question de garder la main, de ne pas oublier que l'espoir engendré par l'échec est un contenant toujours plus vaste et généreux que la promesse remplie.

Et je ne parle ni de Marx, ni de Jésus, de Lénine ou de Freud… comme faux messies. Non. Nous créons chaque génération de vrais faux messies trop nombreux à inventorier… À vous de fouiller, de faire votre recherche, je ne vais pas vous mâcher le travail.

Pour les amis de Jeannette, le monde est bien comme il est, avec ses bavures. Normal ! Monde ordinaire, avec ses petites guerres hors frontières, servies avec le dessert devant le journal télévisé du soir, avec ses génocides à petites doses pasteurisées… travelling discret sur cadavre écrasé par un tank, avec mouches dans la bouche, comme si on y était, odeur en moins.

- Hm… Claire, ton pudding est délicieux ! Cannelle et bâton de vanille ?
- Non ! Clou de girofle et noix de muscade.

Un monde accompli, tableau avant le vernissage, avec ses dizaines de millions d'esclaves qu'on déménage avant les Olympiques et ses milliards de femmes à affranchir bientôt, sa guerre à la drogue et à la pauvreté à finir avant la prochaine élection, et ses lendemains qui ne chantent plus : Ah, ça ira, ça ira, quand on aura l'Indépendance… entre temps les hassidim d'Outremont payeront pour les problèmes auxquels on ne peut faire face. Les vrais…

J'ai passé une ou deux nuits à me dessoûler dans un parc minuscule, coincé entre deux maisons de débauche, en compagnie de créatures de la nuit, bien plus misérables que moi. Ça m'a donné une perspective. Il y avait là une bouddhiste tibétaine, prostituée qui avait dû être très belle. La souffrance du monde même silencieuse est réelle, et elle est autre que la mienne. La mienne est une pauvre imposture, une souffrance d'adoption, même si celle de mon peuple d'emprunt est plus que réelle. Ma souffrance commence sérieusement à me fatiguer.

À cause de cette souffrance, j'arrive au monde, c'est-à-dire devant la page vide, avec un tel sentiment d'exclusion et un tel désir de vengeance que mon identité, mon écriture, est une imposture. Elle n'est que le reflet de mon ennemi imaginaire. Recréant mon monde à son image inversée, je suis devenu mon propre contraire. Mon propre bouc émissaire. Je dois retourner aux sources, aux personnages de ma vie et à ceux du roman.

En quête d'un havre pour écrire, je traîne ma solitude dans les ruelles du Plateau. Les amis chics de Jeannette qui habitent les anciens quartiers de pauvres ou d'immigrants, s'approprient ces arbres, ces pierres, ces murs, ces objets inanimés qui les entourent. Objets qui s'attachent à leurs âmes par une pensée magique et qu'ils appellent culture. Culture ?

Devant l'élégance déchue de ces pierres grises, je me demande qu'est-ce qui m'efface ? Mais qu'est-ce que je traîne dans mes entrailles, qui me donne envie de vomir ? Quoi ? Sinon l'enfant bâtard de la grécité que je porte en moi, au neuvième mois morné ?

Grécité. Ces règles invisibles de l'Art, de l'Esthétique avant tout. Cette cécité à la vraie beauté, la beauté aveugle, celle des cachettes de l'esprit. Celle qui ne s'achète pas parce qu'elle n'est pas à vendre, mais s'acquière à prix de vraie souffrance. Et qui s'échappe, oiseau libre, dès qu'on croit la posséder. Vérité.

Je suis effacé par cette grâce de pesanteur et de grâce, écrasé par l'écriture et l'art de l'Occident. Alors que mes propres lettres colonisées se battent entre elles pour émerger prophétiques. Pour s'évader, libres, du territoire

occupé de ma mémoire et du temps occulté de ma langue,
pour foncer vers le reflet d'une terre promise.
Ma guerre perdue, ma guerre sainte du verbe.
Paroles d'Occident, paroles de séduction.
Paroles d'Orient, paroles de prophétie.
Pour moi, aujourd'hui, verbe de silence.

CHAPITRE 50

À Terre Neuve, mon grand père maternel Élie que mon père m'interdisait de voir, m'emmenait en cachette à la pêche. À Port aux Basques, en arrière de l'ancienne base militaire américaine, se trouvait un estuaire que nous avions sacré domaine privé. L'eau douce et claire de la rivière Gore frémissait vigoureuse sur le dos de parpaings de granit en allant se jeter à la mer.

Là, au bout d'une jetée branlante d'où l'on entendait rouiller des vedettes grises de la deuxième guerre mondiale, grand père faisait mon éducation. Après avoir lissé sa moustache de colonel turc aux pommettes saillantes, il jetait un appât aux bancs de mulets qui affluaient :

- Regarde, il me disait. C'est comme en politique…

Trop jeune, je ne comprenais pas. Il lançait le pain émietté à la surface de l'eau, et les poissons surgissaient, se battaient entre eux. Au paroxysme de leur excitation, grand père lançait son hameçon voleur et en ramenait deux, trois à la fois.

- À la pêche comme à la chasse. Tu places des carottes ou des pommes pour faire sortir les cerfs du couvert, tu imites le cri de la femelle orignal en rut, pour faire sortir le mâle du bois… Et pan ! Tu les attrapes ! C'est comme en publicité avec la belle fille qu'on te montre pour te vendre les choses dont tu n'as pas besoin.

Je comprenais encore moins, mais aujourd'hui ça me revient. Grand père était marxiste.

Le chasseur séduit la bête en l'attirant dans le miroir de ses besoins. En devenant la bête, il peut la tuer.

L'écrivain cannibalise le lecteur en miroitant ses besoins.

161

Écrire, c'est être l'esclave du besoin de plaire à l'autre au lieu d'être en quête d'un ailleurs spirituel, comme Colomb qui cherchait un Nouveau Monde, une façon autre d'être.

J'aimerais pouvoir dire que je ne veux être le serviteur d'aucun homme. Que je ne veux séduire personne. Je ne veux tuer ni cerf ni orignal. Je ne veux pas pécher de poisson volé comme grand père.

J'aimerais n'être qu'un primitif. Un nomade montagnard, chasseur-cueilleur de mots floraux qui donnent la vie. Mais je ne suis qu'un sédentaire de la vallée, qui plante des verbes dans le sillon du temps pour en conjuguer la moisson. Rarement, un vers de terre, sourd, muet, aveugle, s'échappe papillon et monte vers les étoiles.

Et, comme je suis riche de ma récolte à venir, je veux la partager sur pieds.

Mon péché d'orgueil est impardonnable, je sais. Vous ne m'avez rien demandé.

Moi, je voudrais savoir faire autrement.

Je passe la nuit dans un petit bar de Jazz sur la rue Saint-Denis. La musique d'un lieu étranger casse la frontière du temps et trace des lignes de partition entre l'espace de mes mots. Je suis confortable dans ce *no man's land* temporel, et je me demande pourquoi je me suis exilé aux États-Unis, ce *Far West* de l'esprit.

Mon père et moi avions déménagé à Montréal lorsque j'étais adolescent. À cause d'une promotion finalement obtenue, il travaillait sur l'ancien Boulevard Dorchester dans une de ces nouvelles tours de verre crées pour rendre l'homme nain à ses propres yeux.

Montréal s'est transformée en mon absence.

Est-ce moi qui ai changé ?

J'ai quitté Montréal provinciale et chauvine à l'âge de la passion, courant derrière une femme que je n'ai jamais rattrapée, rencontrée à l'Université Concordia, cours du soir en journalisme. Ensuite l'armée et la prison américaines.

Après seize ans d'absence américaine, Montréal m'appartient, vibrante, vraiment cosmopolite. Au petit matin, j'ai revu et corrigé mes préjugés contre cette ville couverte de graffitis géniaux. Les plus brillants écrits en français sur les murs des toilettes du bar.

CHAPITRE 51

Il me faut retourner aux sources.

Hier, j'ai fait un pèlerinage. Une marche de deux heures jusqu'au cimetière de la rue de la Savane pour lire les noms sur les pierres tombales.

Souvenir d'un dimanche, il y a un quart de siècle. Journée ouverte à l'hippodrome, à l'ouest du Boulevard Jean Talon. Nous passons en autobus devant le cimetière de la rue de La Savane et je demande à papa pourquoi les tombes ne portent pas de crucifix. Il me répond sincère :

- C'est là qu'on enterre les chiens.

Hier, vingt-cinq ans plus tard, j'ai lu des noms d'humains sur les pierres tombales du petit cimetière juif. Déry, Réubéni, les patronymes de mes ancêtres maternels étaient tous là. Avant de sortir, la liste alphabétique des noms sur le monument en granite gris de la Shoah m'a donné le tournis. Même ceux du côté de mon père, Portugais et Da Silva, s'y trouvaient.

Mon père m'avait menti.

CHAPITRE 52

Un survivant de la rue entre dans le bar désert, et jette un coup d'œil insomniaque sur le quotidien abandonné par un habitué. Il s'assoit et lit, jusqu'à ce que le serveur, qui le connaît, le regarde. L'homme aux cheveux longs, gris, sales, se lève. Beau, grand, offensé dans la dignité de ses yeux bleus transparents et cernés, il sort du bar à pas mesurés. Je veux lui offrir un verre, mais je reste empêtré dans le fil de mon ordinateur portable, fiché dans le mur derrière moi.

Je jette un coup d'œil sur le journal convoité. Juste des images qui lancent des mots inutiles dans l'écho du vide de leur dire. Une jeune femme trans-ethnique, épilée, altérée par la chirurgie, utilise de la pulpe de bois fermentée en papier journal recyclé pour réinventer notre réalité matérielle.

Cette vendeuse substitue à notre désir transi, inassouvi, un objet toujours travesti, souvent létal. Lecteur, je suis un poisson qui découvre, trop tard, l'hameçon voleur caché dans l'asticot de mes envies.

La sexualité n'est plus l'organe de transmission des valeurs d'une génération à l'autre. Elle est devenue un instrument de distraction dans une société qui consomme son propre ennui.

Laissez les arbres pousser, et donnez-moi la peau d'un animal sacrifié, qu'on mangera cru pour nos péchés. Sur le parchemin que je tannerai, laissez moi écrire au vitriol, des phrases inutiles.

Sur papier recyclé, il n'y a pas que de belles hollandaises, nues au soleil, jambes écartées, montant à cru sur le cheval de leurs bicyclettes. À part la pub et les pubis exposés, nous sommes plébiscités par un éditorial sur les Juifs d'Outremont et leurs pratiques abusives. Pourquoi pas les moines d'Oka, ou les trappistes de Saint-Benoît du lac ?

Eux aussi gardent le silence, s'habillent de blanc pour chanter matin et soir les Psaumes de David dans une langue étrangère, sortent dans le monde vêtus d'ombre, et passent devant nous sans croiser notre regard…

L'éditorialiste hurle comme un chanteur de rock. Qu'il chante fort et faux, d'accord ! Mais voilà qu'il prend sa haine pour de la liberté d'expression. Comme les starlettes de publicité et le florilège de chattes nordiques en chaleur, il a lui aussi quelque chose d'inutile à vendre. Il veut séduire ses clients, ses lecteurs, et surtout son patron.

Il n'y a pas longtemps, son patron annonçait publiquement qu'il boycottait l'Orchestre Symphonique de Montréal, parce qu'on y trouvait trop de musiciens Juifs. Les Nazis, eux aussi, boycottaient les prix Nobel. Trop de Juifs en gagnaient.

Son éditorialiste vedette est photographié de plain pied, de profil. Le sourcil darwinien, le menton mussolinien, il porte un smoking blanc comme 007, grand pourfendeur d'agents de l'Axe du Mal. La plume étendue, il s'élance d'une croisade à l'autre. S'il sait porter la croix, il sait manier l'épée. Plutôt la pointe bigote, qu'il trempe pour gribouiller dans le sang scandaleux d'hosties poignardées.

Ah, mais pourquoi m'en prends-je à ce pauvre chroniqueur qui joue au jeu du bouc émissaire. Pourquoi en fais-je mon propre bouc émissaire ? Lui au moins ne sait pas ce qu'il fait ! Il faudrait un microscope à effet tunnel pour découvrir un atome d'humour, d'intelligence auto critique, de réflexion civique ou civile, dans ses marécageux croassements. Alors pourquoi lui ?

Pourquoi fais-je avec lui ce que lui fait avec les hassidim d'Outremont ?

Par envie ? Parce que comme grand père Élie, il sait tirer les poissons de l'eau ? Parce qu'il a, à force de médiocrité, atteint la notoriété ? Comme un spermatozoïde au bout de sa lancée, qui perce victorieux l'ovule de la fécondité ? Alors que moi, jaloux, embourbé dans la glèbe de ma marginalité, je reste infertile, et je le maudis sans rien dire, ni me démerder de mon marais dormant ?

Et comme une femme stérile fiévreuse de jalousie, j'envie celle qui rage d'orgasmes bruyants et successifs dans le ruban sourd de la nuit, pour aller ensuite se prostituer sur la scène publique en dévorant vivante sa progéniture ?

Mais le chroniqueur cannibale n'est qu'une victime de la mode du journalisme d'opinion, du journalisme biaisé, qui donne licence au lecteur à ses passions frustrées les plus basses, à ses fantasmes les plus exaspérés.

Pour s'élever au dessus du tintamarre de la désinformation, le crieur public doit frapper plus fort sur le tambour, non de l'information, mais du scandale. Enfermé dans l'arsenal infernal de l'esclandre, il tire à boulets blancs au canon du préjugé.

Et si je pouvais lui parler d'homme à homme, que lui dirai-je, moi l'imposteur qui n'ai rien à dire ?

Je lui dirai que les faux prophètes se battent toujours contre l'Autre pour un bout d'espace. Le faux prophète dit : il n'y a pas assez d'espace pour moi et pour toi à Outremont, à Port-au-Prince, à Vienne, au Darfour ou en prison. Que tu sois sorcière, aliéné, sale Juif, ou Noir libidineux, il n'y a pas assez d'espace ici pour toi et pour moi. Quand on croit son espace intérieur envahi par l'Étranger, on ne peut se défendre qu'en racontant la peur et sa fille la haine, dans une langue forteresse, évacuée de son humanité ; une conche triomphale et sonore, encore habitée d'un mollusque putréfié.

Je lui dirais aussi que les impuissants s'en prennent aux innocents. Employé humilié par ses échecs bat sa femme. Journaliste terrorisé par le 11 septembre descend casser du Juif dans les ruelles d'Outremont.

Et quels Juifs ? Des hommes indestructibles même morts. Sortis mourants de la fumée des crématoires pour être la preuve vivante que les chambres à gaz n'ont jamais existé.

Et moi l'imposteur, le poseur qui n'ai rien à dire ?

M'en prendre à un éditorialiste populiste ne réglera pas mes problèmes. Alors, qu'est-ce qui ne va pas chez moi ? Qu'est-ce qui ne va pas dans ma vie ? Dans mon livre ?

Et cette question essentielle retire un voile de devant mes yeux, une chape de plomb de sur mes paupières.

Je n'ai rien à dire, sauf que je ne dois surtout pas faire porter à l'Autre le poids de l'échec, comme papa.

Dire que le mal est exclusivement dans l'autre. Dans ce con de journaliste, et avec lui, tous les héroïques héritiers littéraires du héros à la chemise brune de mon père, aujourd'hui chroniqueurs à la Presse Jaune ou *shock jocks* aux radios et télés aux dogmes cadenassés.

Et pourtant le mal existe. Mais il faut prétendre autrement. Il faut faire semblant de croire que l'homme est bon. Et il faut le reconstruire jusqu'à ce qu'il le devienne. Pour ne pas faire porter à l'autre le poids de nos propres échecs.

Comme je l'ai fait avec mon père et avec le chroniqueur, ou comme le chroniqueur le fait avec les hassidim. Parce que ces derniers parmi les Justes, ces hassidim, sont le père de l'Orient et de l'Occident. Ils sont le commencement de l'Éthique et de la Morale. Ils savent une chose que moi, mon père et le chroniqueur ignorons :

Le mal n'est pas dans l'autre. Il est en nous. Le diable n'est pas dans mon père. Il est en chacun de nous.

Je n'en veux plus à mon père. Je m'en veux de m'être haï en tant qu'homme, si longtemps, à travers ses yeux. Sans le savoir et avec autant de passion.

Je ne suis pas un chien.

J'ai pris la décision de ne pas donner raison à Auschwitz, à Kigali, à Srébrénitza. Par respect pour la vie de Paul Celan et de Primo Lévi, il faut faire semblant. Pour vivre.

Jeannette, en attendant le transfert des bandes vidéo, investit ses journées à peaufiner le croquis des dernières heures de sa sœur Jacinthe qu'elle communique à Lieberman à Miami. Pendant que moi, voguant sur le bateau pirate de ces pages, je passe de passager clandestin à passager libéré. Je vois déjà la terre. La fin de la mer.

Marins de Colomb, donnez-moi trois jours !

Je sens que ce bateau livre, ce galion sans corsaires, cette galère sans rectrices, ce voilier dévoilé, arrive à son havre. Est-ce que je me leurre, ou est-ce que ce bouquin émissaire touche à l'autel du sacrifice ?

CHAPITRE 53

Hier, en revenant du cimetière je prends le métro jusqu'à la sortie Radisson pour rendre visite à mon père dans son home de vieillards.

Pourquoi suis-je venu le voir ?

Sans m'annoncer à la réceptionniste qui ne m'a jamais vu, je marche d'un pas ferme vers sa chambre. La 202, fenêtre sur cour, m'a-t-on dit au téléphone. Dans les couloirs, je passe outre les regards méfiants des employés, pour la plupart immigrants du tiers monde. Je pousse la porte de son cubicule. Un store de plastique grisâtre occulte la lumière du jour de sa fenêtre sur cour.

Son lit est défait. La salle de bains illuminée de jaune me laisse entrevoir le spectacle lamentable d'un vieillard échevelé, dépenaillé, caleçons affalés entre chevilles et mollets, qui essaye d'uriner sans mouiller ses pantoufles de papier.

Il a dû m'entendre. Il tourne vers moi, un instant, un visage boursouflé par la cortisone. Deux orbites d'un vert délavé, comme deux œufs durs éclatés hors leurs coquilles, balaient l'espace nu derrière moi. Forçant bruyamment, papa se remet à faire pression sur sa vessie. Sa volonté et sa concentration fusionnées d'un seul élan, il parvient à extraire trois ou quatre gouttes orphelines, qui chuintent en sourd pizzicato sur le rebord de la cuvette.

Dans ses langes défaites, il a l'air d'un vieux nourrisson élevé par sa mère pour faire, tout le restant de ses jours, ce que font les autres bébés humains.

Manger, dormir, uriner. Mourir. Comme les autres humains. Y compris moi, et tous les Autres que vous croisez tous les jours sachant fort bien qu'ils font aussi leurs besoins.

Ce personnage inoffensif, c'est lui l'absolu qui m'a empêché d'accéder à la Femme, à la vérité, au divin dans l'humanité.

Non, il n'est plus lui. C'est moi qui suis devenu lui.

J'ai ouvert la bouche, mais rien à dire.

Pourquoi suis-je venu ? Pour offrir mon pardon ? Lui demander le sien ?

Mon père aussi n'a rien à dire. Trop tard pour faire la paix.

Depuis un an, il souffre de la maladie de la mère de Lily.

J'ai touché son épaule et suis sorti à reculons.

Il ne s'est pas retourné.

Pardon papa, pardon Alex.

Jeannette est venue me rejoindre au petit bar, deux matins plus tard, une tasse de café en carton à la main, en m'annonçant triomphalement qu'on partait pour Sainte Julie :

- Regarde, Alex !

- Je ne vois rien.

- Regarde ! J'ai toutes les copies des vidéos là-dedans.

Elle secoue dans la main gauche quelque chose en plastique beige qui ressemble à un petit sifflet.

- Vingt-six heures de tournage dans ce petit bidule. Soixante kilos de bandes magnétiques qui ne pèsent plus que douze grammes ! Alex, tu pourras dormir dans la voiture. Ma mère est venue en ville avec mon Accura. Elle rentrera en autobus. Elle a quelques transactions à conclure au quartier des affaires.

- On part quand ?

- Maintenant.

- Tout de suite ?

- Je suis en double stationnement.

Il me reste trois pages, trois jours, avant de terminer ce livre, avant de commencer un nouveau roman, une nouvelle vie, à Sainte Julie. Avec Jeannette ? Non. Avec sa jumelle Jovette et son enfant métis. C'est ce que voulait Jeannette, mais pas exactement comme je vous le dis.

Vous n'allez tout de même pas croire tout ce que j'écris ?

Arrivés à Sainte Julie, Jeannette me dépose chez sa jumelle, plutôt qu'au chalet.

- Je veux bien Jeannette, mais pourquoi ?
- Pour détourner l'attention des motards.

Je ne résiste jamais à la pression des évènements. Je suis le courant. Je suis, comme dans le verbe suivre et non pas le verbe être. Suis-je le courant ?

Peu convaincu de ma nouvelle mission, je dors dans le bureau bibliothèque de Normand-Carlos, sur un petit lit blanc en métal, comme on en voit dans les monastères. J'entends à peine bébé Nicolas une fois ou deux pendant la nuit. Pas grave, j'enfile des lettres à la lumière d'un écran d'ordinateur quand il fait noir.

Jovette femme me plait et m'a toujours plu. Mais pas plus que ça. Si sa voix chaude liquéfie mon plexus solaire, elle laisse mon cœur plutôt tranquille. Elle est sortie du couvent à dix-huit ans, a joint le secrétariat de l'entreprise de papa Gélinas, alors que Jeannette sa jumelle, expulsée du même couvent à quatorze ans, a poursuivi la voie de l'indépendance, et fait de brillantes études légales.

À ma surprise, je plais aussi à Jovette.

- À cause des photos de vous en Robinson Crusoé, me dit-elle, rougissante, au milieu de la nuit.
- Des photos ?

Pour moi qui hais le mensonge des photos, je suis bien servi. Je plais à la jumelle de Jeannette?

Inconscient, j'ai séduit Jacinthe, perchée en haut de son balcon. Innocent, j'ai séduit Jovette avec mon image de Tarzan. Et Jeannette là-dedans ? Me faut-il les trois sœurs? J'ai eu la morte, passée hors le temps, sans la vouloir. Me faut-il posséder les deux survivantes ? Dans le même temps, le même espace ?

- Alex, vous m'avez séduite.

- Vraiment Jovette, vous vous moquez ?

Nous sommes dans sa cuisine, pendant que je me fais un thé et qu'un biberon chauffe dans le four à micro-ondes pour Nicolas qui miaule à l'étage.

La soufflerie du four parasite ses paroles graves. Elle est penchée devant l'évier et laisse couler de l'eau sur son visage pour se maintenir en éveil. Pudique, à l'aise, elle est habillée d'une longue dentelle innocente. Elle se relève, le visage dégouttant d'eau.

- Vraiment, ces photos m'ont bouleversée. (C'est le mot qu'elle utilise.)

Je suis sûr d'avoir mal entendu.

- Jovette, vous plaisantez.

Elle s'essuie avec une serviette en papier.

- Je vous assure que c'est vrai. J'ai vu sur ces photos ce qu'une relation homme femme pouvait être. Une vraie. Et depuis…

J'interromps avant qu'elle n'aille trop loin :

- Moi aussi, je vous ai vue avec Carlos. Un couple idéal avec un enfant. Regardez où nous en sommes tous les deux. Ma femme m'a lâché et Carlos est en cavale. Il ne faut se fier ni aux clichés ni aux stéréotypes, en négatif ou positif.

- Attendez-moi quelques minutes, je dois vous parler. Je monte donner son biberon à Nicolas et je vous reviens. Il s'endort tout de suite.

Je refais du thé pour deux, et quand elle redescend un peu plus transparente, légèrement maquillée, son chignon virginal est défait. La masse immense de ses cheveux frisés tombant sur ses épaules comme une armure de tendresse, elle me livre la face cachée de sa relation passée avec Carlos :

- Je ne me suis jamais mariée avec Carlos, parce que dès le début j'ai vu que, pour lui, je n'étais qu'une relation de convenance professionnelle.

- Mais vous étiez au courant de son aventure avec Jacinthe.

- Oui.

- Ça ne vous a pas dérangée ?

- Leur relation a commencé sur l'Internet. Jacinthe se moquait de lui, et partageait son courrier du cœur avec nous, ses petites sœurs. Elle en riait beaucoup et nous admirions notre grande sœur. Sa grande liberté. Mais Carlos était très naïf, très sincère. Quand elle est morte, il a eu le cœur brisé. Il est venu ici à son enterrement. Ça m'a touché.

- Et ?

- Il est devenu pour moi un lien vivant avec Jacinthe et nous nous sommes aidés à surmonter ce deuil terrible. Mais c'est clair que, plus tard, il m'a utilisée. Pas juste pour oublier Jacinthe.

- Si vous en étiez consciente, pourquoi avoir fait un enfant?

Elle a encore rougi. Elle est restée un moment silencieuse :

- C'était un accident.

- Magnifique accident.

- Oui.

- Et pourquoi cette mise en scène de Jeannette pour que vous alliez rejoindre Carlos ?

- Parce que Carlos, lui, le voudrait bien. Il le lui a demandé, il me l'a demandé. Mais entre temps, j'ai réfléchi. Je veux que mon enfant grandisse à la campagne, près de sa grand-mère, de sa tante et de son cousin, en français, dans le pays où il est né.

Tout ça c'est très bien, mais moi là-dedans ?

Nous avons dû parler tard dans la nuit. Un immense vol d'oies a traversé bruyamment les premières lueurs du jour, traçant un sillon blanc de lumière bordée d'aube, vers les marécages du Nord.
Brillant, un vol d'oies nous a ramenés sur terre.

CHAPITRE 54

Au domaine Gélinas, c'est déjà le temps des sucres et Oscar Labelle, le garde chasse abénaki des Gélinas, me demande de poser les goudrelles avec lui. Il y a une petite érablière d'un millier d'entailles avec sa cabane pour bouillir le cru, en bas du coteau du lac.

Nous avons foré mille trous aux aubiers des grands arbres, posé mille robinets, accroché mille seaux, et bu à même la sève qui coulait abondante comme une bénédiction.

Tout cela nous l'avons fait cet après midi avec l'aide de Ninja, dont c'est les premiers sucres. Il est silencieux. Heureux, il apprend.

Oscar court comme une chèvre forant les trous. Je le suis, plantant les goudrelles pour laisser couler libre l'eau de printemps. Ninja nous rattrape en accrochant les seaux.

Pendant onze jours de vapeur au caramel, nous avons jeté le bois mort dans le brasier sous la cuve, bouilli un lac de sève, pataugeant d'un érable à l'autre dans une neige molle de printemps, vidant les seaux dans une grosse tonne de bois, tirée par un petit tracteur Bombardier, essayant d'éviter les trappes creusées par le dégel sous plusieurs croûtes souterraines de glace accumulée. De vrais trous d'air qui vous happent et vous naufragent comme une nef surprise dans un tourbillon de blancheur.

Les sucres terminés, le lac a commencé à dégeler d'un coup, près de la chute qui descend du coteau. Nous avons posé les premiers filets pour attraper la ouananiche et le doré qui bientôt vont remonter le courant d'eau claire pour la suite du monde.

Jeannette appelle. Elle a reçu une lettre de Lieberman pour moi. Je lui dis de l'ouvrir. Il me met au courant des dernières avancées qui nous permettront d'engager une procédure d'appel. Il nous demande à Jeannette et moi, une conférence à trois au téléphone pour le lendemain.

Le lendemain soir, Jovette me dépose aux abattoirs où Jeannette occupe la fonction de Carlos dans son ancien bureau. Je la sens nerveuse, fatiguée. On dirait qu'elle a pleuré.
- Alex, je suis épuisée, allons chez moi. Maman et Ninja sont au cinéma.
Chez elle, qui est aussi chez maman Gélinas, c'est Jeannette qui appelle l'avocat à Miami :
- Bonjour Marvin, nous sommes tous là.
- Bonjour Jeannette, salut Alex. Il y a huit ans maintenant, le corps de Jacinthe a été soumis à une simple autopsie sans aucun autre type d'analyse. Le rapport du médecin légiste est clair : Elle avait été violée, et assassinée dans son bain par vous, Alex. Cela a suffi à instruire le procès, à convaincre le jury et à vous condamner.
Mais aux archives médico-légales de Broward County, on a conservé sous vide des fragments de tissus internes, appartenant à Jacinthe. Je viens d'en recevoir les résultats d'analyses d'un laboratoire indépendant de Miami.
Il y avait aussi certains prélèvements faits sur votre personne, Alex, plus un verre de Martini, conservé dans un contenant stérile avec une olive. Ce verre était identifié, empreintes labiales et digitales de l'agresseur, A. Portugais.

178

À part vos empreintes, et votre Adn, l'analyse des tissus de Jacinthe et l'analyse de votre verre de Martini, n'ont fait que confirmer votre culpabilité.

- Il ne me reste aucun souvenir du crime. Rien. Rien. Pas le moindre sentiment de déjà-vu. Être l'acteur ou le témoin d'un meurtre ce n'est pas une petite affaire.

- Avec deux autres personnes présentes à l'heure de la mort de Jacinthe, jamais mentionnées durant le procès, et malgré ces résultats de laboratoire vous incriminant gravement, aucun juge ne peut rejeter votre demande de procédure en appel.

- Maître Lieberman...?

- Alex, appelle-moi Marvin...

- Marvin, tu oublies un troisième homme ! À part El Lobo et Jean-François Gélinas, il y a le dresseur de Monkey girl, et deux animaux que tu as vus sur la bande vidéo. Cela fait trois hommes jamais mentionnés au procès. Plus un singe travesti et un chien endormi.

Lieberman ne sait jamais si je me moque de lui ou non.

- Alex, je prends note. Mais tu dois écrire une pétition officielle au juge Marshall de la Cour d'appel de Dade County. Jeannette va t'aider à la rédiger. Nous réussirons à aller en appel en introduisant un élément de doute à l'endroit des deux autres hommes présents.

- Risquent-ils d'être condamnés ?

Moi je pensais au mari de Jeannette.

- Impossible. Aux USA on ne peut condamner une personne pour un crime pour lequel quelqu'un a déjà été jugé et puni.

- Donc on ne peut pas condamner un coupable si un innocent a déjà purgé une peine à sa place ? Si on présente la preuve formelle que les Romains ont crucifié Jésus, qu'ils sont les vrais coupables, les Juifs vont continuer à porter ce crime dont ils sont parfaitement innocents ?

Lieberman a eu une crise de fou rire. Il n'avait jamais entendu une telle absurdité, du moins une opinion légale présentée de façon aussi biscornue.

- Alex, des fois je ne sais pas quoi faire avec toi ! Essentiellement on va essayer de t'innocenter, en présentant une motion juridique de vice de forme dans le procès. Deux hommes présents au moment du crime, voilà qui introduit un doute tout à fait raisonnable quant à ta culpabilité.

Quand nous avons raccroché, Jeannette me tournait le dos.

- Ah, oui Jeannette, j'ai rêvé de toi, euh, je veux dire j'ai rêvé de ce verre de Martini dans tes mains pendant ma première nuit d'insomnie à New York.

Elle s'est retournée, essuyait une larme.

- Je ne comprends pas.

- Il n'y a rien à comprendre, c'est comme pour ma confession… Mais, on dirait que tu pleures.

- Avant que l'on appelle Lieberman à Miami, Jean-François a téléphoné de Las Vegas. Il veut avoir Ninja pour l'été. Pour tout l'été, au complet. C'est la première fois qu'il s'intéresse à son fils.

- Les gens changent Jeannette.

Elle m'a regardé avec ses grands yeux perdus.

- C'est la première fois que je dois me séparer de mon fils.

- Est-ce que tu lui as demandé pour Jacinthe ? Où était-il pendant que je l'assassinais ?

- Il m'a juré qu'il était absent des lieux au moment du crime.

- Est-ce que tu le crois ?

- Oui.

Elle le croyait. Et moi, me croyait-elle ? Moi, qui me sens coupable depuis que je suis né. Ça n'est pas une preuve, vous allez me dire.

Ses yeux de star des années cinquante me braquaient comme des phares. Allait-elle me donner en cadeau le bénéfice du doute, non pas comme juriste, mais comme être humain ?

À bout de force, elle a fait un premier pas pour que je la console, a posé sa tête sur mon épaule.

Craintif, je l'ai consolée alors qu'une panne de courant, fréquente dans ce coin de pays et aussi soudaine que magique, nous a replongés jusqu'à l'heure sombre des reptiles.

Et dans le noir froissement des étoffes de la nuit, quand nos corps se sont frôlés, j'ai senti le parfum de la chair de Jeannette, parfum inoubliable d'arôme, violette et jasmin qui tournait à la figue blanche et au muguet.

Mais la voix, la voix qui chuchotait en graves trémolos, et coulait comme un lent caramel sur ma peau, la voix, était celle de Jovette.

CHAPITRE 55

Une semaine après l'envoi de ma demande en appel, les avocats de la firme de *Westchester, Lieberman and Cabrini,* me virent une avance en dollars américains sur mes frais de déplacements aux États-Unis. La première audience avec le solliciteur général est arrêtée pour la fin du mois à Miami. Je ne suis pas riche, mais je suis indépendant. Pour au moins quelques semaines, si je dépense prudemment…

Avec Jeannette comme recherchiste, la firme d'avocats de Lieberman entend présenter de nouvelles preuves en faisant appel à la Cour Supérieure de l'État de Floride, à propos d'un crime pour lequel j'ai déjà subi un procès, j'ai été condamné, et j'ai déjà purgé ma peine.

Jovette est triste quand je fais ma valise :

- Ne sois pas triste, Jovette, je pars à Miami pour une audience avec l'*Attorney General.*

- Je commençais à m'habituer à ta présence.

- Il est temps qu'on avance. Le rôle de mari d'opérette ne me convient pas :

- Même si ça me protège contre les motards ?

- Tu n'as rien à prouver aux motards. Et tu ne risques rien, puisqu'ils pensent ton mari coupable. Je pars, c'est mieux pour toi.

- Tu vas me manquer.

- Jovette, tu es une très belle femme. Tu n'as pas besoin d'une autre relation de couple artificielle.

- Nos conversations au milieu de la nuit vont me manquer.

Surprise. Jovette m'étreint d'une étreinte plus prison que tendresse. Ce geste familier d'au revoir, m'ébranle par son brusque changement de cours. Immobilisé, je la repousse. Jovette s'accroche à mon vêtement. Elle murmure :

- Alex, ne me quitte pas.

Elle est forte. Je déchire ma veste en me dégageant de son étreinte. Ma belle veste en laine peignée d'Armani. Cette femme est folle, mais pas de moi. D'une photo peut-être.

- Il ne s'est rien passé entre nous et tu te comportes comme si nous étions Roméo et Juliette. Je t'aime bien Gigi, (j'ai commencé à l'appeler Gigi, comme tout le monde ici) mais ça me prendra des années à me remettre de mon mariage avec Lily quand nous serons officiellement divorcé.

J'appelle Jeannette, elle doit me conduire à l'aéroport.

- N'appelle pas Jeannette, je ne veux pas qu'elle me voie dans cet état.

- D'accord, je prends un taxi. Je laisse des papiers d'avocats sur la table pour elle.

- Alex…

- Jovette, je reviens à Montréal dans quelques jours pour le lancement de mon livre. J'ai loué un pied à terre sympathique et bruyant, sur la rue Saint-Denis.

- Je pourrais aller te voir ?

- Je t'invite avec tous les Gélinas à la soirée d'ouverture.

Cette fille doit être cinglée.

Difficile à croire si je vous dis que les deux sœurs s'étaient mises d'accord pour savoir laquelle des deux allait céder sa place à l'autre. Elles ne m'ont pas joué au poker, mais presque. Jovette a vendu ses parts dans l'usine de transformation à Jeannette, pour que Jeannette renonce à moi. Je devrais en être flatté, mais j'ai l'impression d'être tombé dans un asile d'aliénées.

CHAPITRE 56

L'audience.

Ce matin, au milieu d'une canicule aussi insupportable que printanière, le système de climatisation de l'immeuble ultra moderne en béton, chrome et verre fumé de la Cour d'appel de Miami est en panne. Habillée d'un tailleur noir juridiquement correct, du ras du cou jusqu'aux poignets, Jeannette suffoque dans la fournaise humide de la salle d'audience. Nous sommes ici pour savoir si ma procédure d'appel est recevable.

À part J. Palmer, Procureur général, le Juge Marshall de la Cour d'Appel de Dade County à Miami, Jeannette, Maître Lieberman, sa secrétaire et moi-même, il y a au greffe une femme d'un certain âge qui reste impassible durant la procédure, à l'exception d'un imperceptible mouvement de sourcils, lorsque que l'on mentionne la nature graphique des documents présentés.

La veste de mon complet déchirée par Jovette et réparée en vitesse par la buanderie de l'hôtel, me pèse sur le dos comme une peau de mouton détrempée. Goutte à goutte, je sens mon bracelet de montre en métal se liquéfier sur mon poignet.

Trois employés d'entretien, après un intense conciliabule, donnent des ordres inquiets et inaudibles à d'invisibles subalternes sur leurs téléphones portables. En vain.

Boîtant douloureusement, un gigantesque Congolais pousse un antique ventilateur à roulettes, qu'il branche derrière le banc du magistrat. L'appareil grince, émet éventuellement un bruit de bombardier lourd, déplace mollement une feuille de papier sur le bureau du juge et reste sans effet sur la température.

Le préposé à l'entretien sort en grimaçant un sourire au juge qui le regarde avec empathie.

Pendant que maître Lieberman décrit au Juge Marshall le film *pour adultes* réalisé par JF et découvert par Lily et moi-même dans les Keys, Jeannette semble défaillir.

À l'invitation du Juge, nous déménageons dans sa chambre minuscule mais rafraîchie par un bruyant climatiseur coincé dans la partie inférieure d'une petite fenêtre-guillotine. La fenêtre donne sur le mur d'une cour intérieure aux briques décrépies.

Élégamment, le juge cède sa place à Docteur Jeannette Gélinas, mais pas son fauteuil de cuir rouge clouté de cuivre. Jeannette a repris ses esprits et ouvre un écran d'ordinateur sur le bureau. Nous nous asseyons autour, en demi cercle, comme au cinéma. Elle s'adresse au juge :

- Ce que vous allez voir va démontrer au-delà de tout doute qu'au moment du crime, Alex Portugais n'était pas seul. Il se trouvait en compagnie de deux autres personnes de sexe masculin, deux personnes occupées au tournage d'un film commercial destiné au marché international, film précédemment décrit par maître Lieberman.

Commençons par un montage chronologique d'images des caméras de sécurité du Lido. Chaque image porte un code chiffré, visible en bas de l'écran, qui donne la date et l'heure exacte de l'évènement au trentième de seconde près. Conservées aux archives de la police de *Broward County,* ces images ont été captées autour de l'heure du crime, établi par le médecin légiste à une heure 28 de l'après midi.

Caméra extérieure numéro sept. Piscine.

Une heure 01 de l'après midi. Carlos Noriega sort du gymnase avec un sac de plastique transparent, contenant des serviettes utilisées. El Lobo entre au gymnase, portant un plateau de consommations à une heure 02. Ressort immédiatement du gymnase et apporte un Martini à Alex Portugais.

Mes avocats m'avaient demandé de rester silencieux jusqu'à ce qu'eux-mêmes, le juge ou le procureur m'adressent la parole, mais je n'ai pu résister :

- À part mon rêve qu'on a pris pour une confession, il ne me reste aucun souvenir de ce que j'ai fait dans le film. Même ce verre de Martini...

Le juge m'a lancé un regard de tolérance froide, puis sans relever ce que je venais de dire, s'est adressé à Jeannette :

- Docteur Gélinas, procédez.

- Extrait du film pornographique. Entre une heure 04 et une heure 19, nous voyons Jacinthe séduire Alex, l'attirer dans sa chambre, et s'accoupler avec lui dans la séquence intitulée Halloween, dont voici les premières et dernières images... séquence qui dure un bon dix minutes.

Ensuite, extrait du vidéo de la camera de sécurité extérieure numéro un. Terrain de stationnement réservé aux livraisons. Une heure 18. Lobo pousse un chariot de lingerie d'hôtel vers une camionnette bleue. Il ouvre la porte arrière. Un chien, un Rotweiler, saute hors du véhicule, et fait le fou autour de son maître qui le calme et pousse son chariot hors du champ de la caméra.

Vous remarquerez qu'ensuite on ne voit plus d'image du chien sur les caméras de sécurité.

Caméra de sécurité intérieure numéro trois. Couloir du septième étage, une heure 19.

El Lobo ouvre la porte numéro 306, à trois chambres de distance du *penthouse*, loué à Jacinthe Gélinas. El Lobo pousse le chariot dans la chambre 306 et y disparaît.

Jean-François Gélinas avait loué la 306, sous le nom de John Francis, nom obtenu légalement après sa naturalisation américaine. Il est interdit de faire un tournage de film au Lido et aucune permission n'a été demandée, ni accordée par l'hôtel à cette fin. Pour cette raison les deux personnes employées à la production de ce long métrage, Jean François Gélinas comme réalisateur et Ricardo Garcia, dit El Lobo, comme assistant, ont gardé la plus entière discrétion. Ils n'ont jamais été vus en public avec Jacinthe.

J'ai filmé cette séquence au Lido à l'aide de mon téléphone cellulaire. On voit que la chambre 306 est connectée au *penthouse* par une série de trois portes intérieures, hors du regard des caméras des couloirs.

Passons maintenant à une partie silencieuse du film pornographique.

Une heure 20 de l'après midi, dans l'appartement-terrasse. Le chien est avachi sur le tapis. El Lobo a dû lui donner un tranquillisant pour le cacher dans le chariot. Il le secoue pour le réveiller.

La bande sonore devient audible. On entend un robinet de bain qui coule. Une voix masculine s'impatiente en arrière plan sonore mais on distingue clairement les paroles d'El Lobo :

- Je lui ai donné une bonne dose pour le calmer, et ce *cabron* il est K.O.

Jeannette continue ses commentaires d'une voix étranglée à la vue des dernières images de sa sœur :

- Une heure 21, sept minutes avant le meurtre. La caméra cadre Jacinthe dans un bain tourbillon couvert de mousse.

On entend la voix de JF :

- Babe, tu es la star de Pretty Woman. Caresse-toi la poitrine.

Jacinthe s'exécute, plus belle que Julia Roberts.

- Super ! El Lobo ! Amène le chien.

- Il est à peine réveillé. Viens le filmer dans le salon.

La caméra se transporte dans le salon. Le chien est debout, la tête basse, le corps indécis.

On entend JF parler à El Lobo :

- Combien de tranquillisants tu lui as donnés ?

- Je sais pas, il était tellement nerveux, je me rappelle pas.

- Après les tranquillisants, combien d'*amph* tu lui as donnés pour le réveiller ? Tu ne dois pas dépasser un milligramme par kilo pour un chien. Combien il pèse ?

- Je connais mon Castro. Il est costaud, soixante cinq kilos. Je lui ai filé cent cinquante milligrammes d'amphétamines la première fois et trois ou quatre cents, il y a deux minutes. Il faut ce qu'il faut, si tu veux du documentaire.

Jeannette gèle l'image et s'adresse au juge :

- Vous remarquerez qu'après l'injection d'une dose importante mais indéterminée de tranquillisants, le chien a reçu six fois la quantité nécessaire d'amphétamines d'abord pour le réveiller, ensuite pour le stimuler.

Le film reprend avec l'image du chien qui grogne :

- Quatre cent cinquante milligrammes ? Tu es fou ! *Cogno*, tu vas le tuer… Tourne-le de profil. *Close up* sur la queue du chien ! Hé, Lobo ! Son machin, pas le derrière du chien, *cogno* ! *La pingua*… Vers la caméra, *hombre*…

On entend la voix enthousiaste d'El Lobo, mais à l'écran on ne voit que la gueule du chien :

- Regarde, regarde, il est en pleine forme !

- Je ne vois rien, fais le rentrer dans la salle de bains.

La caméra est transportée dans la salle de bains :

- Fais rentrer le chien, allez ! Rentre-le dans la salle de bains !

Le chien saute dans le bain. Une éclaboussure de mousse coule sur la lentille et trouble l'image.

- Merde ! Mon téléphoto est tout mouillé. Lobo, continue à faire sauter Castro dans le bain, je veux le voir plein profil. Je descends une minute nettoyer mon zoom. J'ai oublié ma trousse de nettoyage dans ma voiture.

Une lentille à grand angle, claire et précise remplace le cadrage de la précédente image floue.

- Ne touche pas au cadrage ! Laisse tourner la caméra avec la grande angulaire. C'est pas la pellicule qui manque ! Refais sauter le chien quatre ou cinq fois ! Juste fais-le sauter dans le bain, je reviens pour le *close up*. Je m'occupe du reste !

- Une heure 24. Caméra de sécurité numéro trois. JF sort de la chambre 306 avec une petite mallette métallique. Ensuite, caméra extérieure numéro neuf. De une heure vingt-cinq à une heure trente et une, c'est-à-dire six minutes d'intervalle pendant lequel le crime est commis, on voit JF s'affairer dans la malle arrière ouverte de sa voiture de location.

De une heure 24 à une heure 28, séquence filmée du point de vue de Jacinthe, on voit le chien Castro sauter dans le bain, une, deux, trois fois, au ralenti. À la quatrième, le chien accroche la caméra au passage. On entend les hurlements de Jacinthe qui appelle sa mère.

Jeannette blême, commente :

- À chaque prise, le chien devient de plus en plus enragé par les amphétamines qu'on lui a injectées pour le stimuler.

La caméra tombe et continue à filmer le plafond de la salle de bains pendant qu'on entend des cris d'horreur, des

189

grognements enragés et les hurlements d'El Lobo qui a perdu le contrôle de la situation. Fin du tournage du film porno, une heure vingt-neuf.

- Caméra de sécurité du couloir. El Lobo pousse le chariot hors de la chambre 306 à 1 heure 33. Il est en maillot de bain, le corps en nage, torse nu couvert d'une serviette de bain. Affolé, il se dirige vers le monte-charge de service et appuie sur le bouton de descente de façon obsessive en se passant la main sur le visage.

Dans le parc de stationnement, JF replace sa lentille dans la mallette d'acier lorsqu'El Lobo apparaît. Le cubain pousse son chariot vers JF, en sort deux boites de carton qu'il place directement dans le coffre de la voiture de JF. El Lobo lui murmure quelque chose à l'oreille, et s'éloigne. JF réarrange précipitamment ses valises de tournage, ferme son coffre et retourne à la chambre 306 au pas de course.

Lieberman croit avoir distingué quelque chose :

- Jeannette peux-tu retourner à la séquence du renversement de la caméra par le chien dans la salle de bains ?

Image par image, dans le flou de la chute de la caméra en marche arrière, on voit un plan d'Alex, moi, perçu à l'embrasure de la porte du salon, écrasé sur un sofa, un bras sur le tapis, visiblement endormi.

- Peux tu geler l'image, et l'agrandir au maximum ?

Jeannette fait quelques manipulations. On me voit moi, Alex Portugais, hors foyer, mais on me voit.

Jeannette lance un regard de gratitude vers Lieberman et se tourne vers le magistrat :

- Monsieur le juge, voici la preuve graphique de l'innocence d'Alex. Il est endormi pendant le meurtre. Le code sur la bande magnétique indique une heure vingt-huit et quarante sept secondes. L'heure, la minute et la seconde exacte où l'on entend Jacinthe hurler.

Le juge et le procureur J. Palmer échangent un regard rapide et familier. Ils semblent en accord. Le juge Marshall s'adresse au procureur formellement :

- Je suppose monsieur le procureur que vous soumettrez le codage original des bandes magnétiques aux expertises nécessaires ?

Le procureur hoche la tête.

Satisfait, le juge se lève, décroche sa veste et en frappant légèrement son bureau avec son stylo, il crie :

- *Recess* ! Recess, qui veut dire pause.

Il était temps. L'audience du matin avait duré quatre heures. Nous mourions de faim.

Le procureur s'est approché de Jeannette, a regardé sa montre et s'est penché vers elle lui murmurant quelque chose à l'oreille. Elle a hoché la tête. Cet Américain, plutôt bel homme, a l'air séduit par la petite avocate française. Mais, pour qui il se prend celui-là ?

Le *State Attorney* Jerry Palmer et maître Jeannette Gélinas sortent côte à côte, apparemment pour aller déjeuner ensemble.

CHAPITRE 57

Il est une heure de l'après midi, notre équipe, en l'absence de Jeannette remplacée par la greffière, traverse la rue dans la canicule pour aller déjeuner dans un café végétarien par égards pour moi. De toutes façons, je n'y mange pas, mais j'y commande un jus de pomme. Ce matin, avant de sortir de l'hôtel, je me suis fait un sandwich de sardines New Brunswick dont l'odeur un peu forte me pousse à aller occuper seul une table du fond du resto.

Toute l'équipe est venue s'asseoir avec moi. Tout le monde commente allègrement la procédure. Pour Lieberman, le silence du procureur est de bon augure.

Après la pause du déjeuner, nous avons trouvé la salle d'audience fermée, le bureau du juge vide, avec une note sur la porte, pour nous et pour le greffe :

Réouverture de l'audience, demain matin 8 heures, à la demande du Procureur et de Dr Gélinas.

CHAPITRE 58

Le verdict

Après une nuit blanche, je me retrouve à huit heures du matin dans la salle d'audience dont le système de climatisation fonctionne enfin :

Jeannette et le Procureur sont absents. Oh ! Puis j'en ai rien à fiche !

- Votre honneur, doit-on attendre la présence du procureur?

- Pour le procureur, la procédure d'appel est acceptable, donc sa présence superflue. Il ne prévoit aucune opposition de la part de l'État de la Floride. Mais maître, procédez :

Maître Lieberman, ravi de l'absence du procureur, continue :

- Monsieur le juge, j'ai interrogé la mère d'El Lobo, madame Conception Vargas, qui habite la conciergerie d'un petit motel, à quelques rues du Lido. Elle avoue avoir été saisie de panique à la vue de son chien, gisant la gueule ouverte et ensanglantée, visiblement mort empoisonné, devant sa porte.

Voici un constat d'autopsie pratiquée par le vétérinaire de l'ASPCA, le lendemain du crime, confirmant la mort du chien, par arrêt cardiaque, provoqué par une présence massive de tranquillisants et d'amphétamines, probablement administrée par un voisin malveillant.

Les frais d'incinération du chien par L'ASPCA étant prohibitifs, son cadavre fut récupéré par Conception Vargas qui l'enterra avec l'aide de son fils, dans un terrain vague situé entre le motel et la plage.

Lieberman extirpe de sa sacoche un sac de plastique transparent dont il tend le contenu au juge.

- Voici les moules en plâtre de l'avant de la mâchoire inférieure et supérieure du chien.

Après un examen médico-légal des photos du cou de la victime, il est clair que les lésions apparentes correspondent à celles de la dentition du Rotweiler.

Lieberman poursuit :

- Votre honneur, devant les éléments de preuves nouvellement introduits, j'aimerais vous présenter une motion pour l'annulation de la procédure d'appel et vous demander de considérer à la place, une déclaration de non-lieu.

Le Juge Marshall décide de prendre en délibéré, jusqu'au lendemain, la proposition de Lieberman de déclarer un non lieu, suite à une mort accidentelle. Ce qui effacerait toutes les charges contre moi, Alex Portugais.

Ainsi, Lieberman et sa firme pourraient commencer les procédures de réparations contre l'État de la Floride.

CHAPITRE 59

Coup de théâtre. Le lendemain nous retournons à la cour en présence du Procureur. Il semble préoccupé.

- Votre honneur, l'État de Floride est prêt à accepter une procédure d'appel, mais, devant la qualité des preuves versées au dossier, nous ne pouvons envisager un non-lieu.

J'ai envie d'exploser, mais Lieberman craignant que je me mette à parler sans qu'on me le demande, pose fermement une main sur mon genou. Il se penche et me dit à l'oreille :

- Avec un appel, la Floride peut faire traîner la procédure des années et éviter de payer dommages et intérêts pendant dix à quinze ans. Avec un non-lieu, plus de manœuvres dilatoires possibles. Ils savent qu'ils doivent payer, la question ce n'est plus quand, mais c'est combien ?

Le procureur demande et obtient une semaine de délai :

- Votre honneur, nous devons expertiser les preuves nouvellement inscrites au greffe et procéder à une analyse des codes chronologiques sur les bandes magnétiques originales.

Ensuite, il demande au juge de l'excuser. Il sort en regardant Jeannette d'un œil complice.

Nous sommes de nouveau en cour après une semaine, pour entendre les résultats des contre-expertises du procureur. Sans contestation de sa part.

Jeannette en profite pour introduire de nouveaux résultats d'analyse de prélèvements pratiqués sur Jacinthe et ma personne au lendemain du crime. Elle demande le temps de montrer un nouveau montage des bandes magnétiques. Devant l'impatience du juge, elle ouvre un ordinateur à grand écran sur la table de la défense et dit :

- Pas plus de cinq minutes votre honneur. Je commence par un extrait du film *pour adultes*. Ma sœur vient d'avoir une altercation avec son réalisateur et se fait consoler par El Lobo, l'assistant. L'homme tatoué lui tend un verre à boire et l'emmène à la fenêtre. Souvenez-vous de ce détail : il lui donne un verre dont elle avale le contenu d'un trait. On voit Alex de loin, en train de lire à la piscine.

Observez le comportement de Jacinthe. Elle ouvre la baie et sort sur le balcon avec des gestes et un regard figés. Elle reste longtemps à observer monsieur Portugais. El Lobo sort sur le balcon lui parler. Observez les yeux de Jacinthe. Aucun battement de paupières pendant que l'assistant lui parle. Elle passe devant la caméra dans un état second pour sortir du balcon.

- Où voulez-vous en venir Docteur Gélinas ?

- Accordez-moi encore une minute.

Caméra extérieure numéro sept. Piscine.

Une heure 01 de l'après midi. Carlos Noriega sort du gymnase avec un sac de plastique bourré de serviettes. El Lobo entre au gymnase avec une consommation posée sur un plateau à une heure 02. Il ressort du gymnase après quelques secondes et apporte un Martini à Alex Portugais, Martini que notre client n'a pas commandé. C'est là, au gymnase, qu'El Lobo a eu le temps de verser sa drogue dans le verre d'Alex.

Le juge intervient :

- Un instant Docteur. Beaucoup de suppositions sans substance.

- J'y arrive votre honneur. Nous avons refait analyser les prélèvements de tissus obtenus par frottis sur Jacinthe Gélinas et Alex Portugais, il y a huit ans. Cela n'a rien donné parce que trop de temps s'est écoulé depuis. Par

196

contre, les échantillons de cheveux de monsieur Portugais et ceux de Jacinthe Gélinas, prélevés à l'époque, mais jamais analysés, ont été soumis cette semaine à un examen médico-légal. Ils ont révélé tous deux des traces très claires de Ghb, et de Nitrate d'Amyle, deux psychotropes très puissants, servis dans un mélange de composition moléculaire identique.

- Docteur Gélinas, le Nitrate d'Amyle est un aphrodisiaque, mais le Ghb ?

Jeannette regarde le juge et me regarde. Lieberman répond à sa place :

- La drogue du viol, votre honneur.

Jeannette poursuit :

- Voilà qui explique le comportement de Jacinthe et celui de monsieur Portugais à la piscine, au sauna et dans le film pornographique. Après qu'elle eût refusé une relation avec l'homme masqué dans la séquence intitulée Halloween, Ricardo Garcia, dit El Lobo, lui a donné un cocktail drogué. Et ce même Ricardo Garcia a mis un mélange de composition identique dans le Martini destiné à monsieur Portugais.

En plus, monsieur Garcia avoue, dans la bande sonore du film, avoir injecté des tranquillisants au chien nommé Castro et l'avoir drogué aux amphétamines avec une dose six fois plus élevée que nécessaire.

Lieberman prend la balle au vol :

- Combinés, le Ghb et le Nitrate d'Amyle sont des drogues d'une puissance insoupçonnée. Elles effacent toutes les inhibitions en même temps que la mémoire.

Jeannette tend un document au juge :

- Vous avez ici un rapport du laboratoire Flemming, daté d'hier, qui décrit la présence de GHB et de Nitrate d'Amyle, dans les échantillons de cheveux prélevés sur

Jacinthe Gélinas et sur Alex Portugais, il y a huit ans, au lendemain du crime.

Le procureur intervient :

- Comment savoir si ces drogues ne faisaient pas partie du régime personnel de la défunte victime et de monsieur Portugais ?

Lieberman répond :

- La possibilité que ces deux personnes aient pris ce cocktail chimique identique, volontairement et sans se connaître, au même moment, une demie heure avant le crime, est statistiquement impossible. Ces drogues sont habituellement administrées, à leur insu, à des personnes dont on veut supprimer les inhibitions, pour les violer ou abuser d'elles, et effacer en elles tout souvenir des évènements dont elles vont devenir les victimes.

Le juge parcourt le rapport du laboratoire Flemming en hochant la tête et se tourne vers le procureur :

- Monsieur le procureur Palmer, pouvez-vous nous dire si l'État de la Floride entend s'opposer à ma recommandation d'un non-lieu ?

- Votre honneur ! répond le procureur. L'État de la Floride requiert un délai de dix jours pour soumettre ces nouvelles preuves à nos experts. Après lequel délai nous rendrons notre décision.

Quelque temps après, toutes vérifications faites, on m'exonère.

Un non lieu.

Imaginez toutes ces choses qui me sont arrivées, tous ces évènements qui me constituent aujourd'hui, tout ça, un non-lieu. Tout ce qui m'est arrivé n'est pas arrivé.

Tout ce que mon père affirmait, tout ce que les chroniqueurs imbéciles de chaque époque de ma nouvelle histoire ancienne ont clamé haut et fort comme des vérités, tout ça, des fantasmes, des projections sur écran déjà pollué. Pollué par la peur de disparaître que chacun de nous essaie d'évacuer en la projetant hors de soi, sur les autres, les étrangers, moi, vous.

Un non lieu ? Impossible. Je suis responsable de tout ce qui m'est arrivé. Désolé de vous dire ça, comme ça, à brûle-pourpoint, mais la faute est en chacun de nous. Bon, je me répète…

Il faut finir. Il faut avancer. Lâcher prise et ne plus donner raison aux adversaires qui ont pris possession de ma plume. Il faut libérer l'écriture. Faut se lâcher dans le vide d'un autre moi. Renaître. Facile à écrire. Très facile. Renaître. Huit lettres. Mais, dans le réel, comment faire, comment traduire en acte ces huit lettres ?

Comment vous dire les choses que je ne vous ai pas dites parce que je n'en étais pas moi-même conscient. Comment remplacer le trou dans ma couche d'ozone, l'absence de ma mère et ses conséquences.

Ma mère un non lieu ? Je ne suis pas responsable du départ de ma mère, même si comme tous les enfants abandonnés j'en ai toujours porté la faute. Ma mère, non. Un lieu inhabité.

Lily un non lieu ? Non, je suis responsable et coupable du départ de Lily. Si c'est elle qui m'a choisi, c'est moi qui l'ai fait fuir. Pas à cause des photos, mais à cause de mes subtils retranchements, mon mutisme, mes petits tests dans lesquels je la poussais, poussais, poussais, pour voir quand et jusqu'où elle allait fuir. Et elle est finalement partie. À cause de moi. Comme ma mère est partie à cause de mon père.

Cette défroque de culpabilité que j'ai si longtemps habitée s'est presque détachée de mon corps. Comme un vêtement trop longtemps porté, plutôt comme une greffe, ou mieux comme une cicatrice, je ne sais encore combien de temps cette squame va coller à ma peau.

Ce bouquin qu'on appelle ainsi parce qu'avant l'imprimerie, il était relié avec le cuir d'un bouc, ce bouquin va-t-il me redonner une nouvelle peau ? La vieille je l'ai découpée en petites phrases que j'ai collées sur ce bout de papier parchemin. Ma vieille peau était une reliure pour les fantasmes de mon père. Je les avais fait miens, jusqu'à devenir mon propre ennemi. Qui dois-je devenir ?

Au prochain chapitre de le dire.

CHAPITRE 60

Jovette est descendue à Montréal avec maman Gélinas pour le lancement de mon livre. J'avais entre temps remboursé aux gens des éditions Glover leur avance de mille cinq cents dollars. Comme je n'avais pas signé de contrat avec eux, ils m'ont demandé une option sur la version anglaise du bouquin qui est presque terminée. Un copain, poète à Cuba, s'occupe de la version espagnole.

Je ne sais pas comment Lily l'a su, mais le soir du lancement, à la Librairie Olivieri, elle m'a envoyé un télégramme, soulignant qu'elle avait toujours cru en moi. Je crois qu'elle voulait dire, en tant qu'écrivain.

Les bouquets qui suivaient le télégramme n'ont pu tous être accommodés dans l'espace restreint de la librairie. La moitié des fleurs est restée dehors, devant la porte, sous l'ardoise qui annonçait à la craie : lancement de : Gitane, roman d'Alex Portugais.

Seule Jeannette ne s'est pas manifestée, apparemment à Vegas pour ramener Ninja au foyer. Maman Gélinas et Jovette ont chacune acheté ce livre que vous êtes en train de lire et m'ont demandé de venir à Sainte Julie dans deux semaines pour célébrer la Pâque selon leurs anciennes coutumes de marranes québécois.

Après la fête, Jovette a insisté pour visiter mon pied-à-terre sur la rue Saint-Denis. Le chez-moi de ma nouvelle vie. J'ai gentiment refusé. J'ai pris la décision de choisir la femme qui me manque, moi-même. Jusqu'à maintenant, je me suis laissé choisir, peut-être pour voir comment on allait me larguer. À bien y penser, je n'ai jamais choisi une femme moi-même. Ni Jovette, ni Jeannette ne me conviennent, même si elles me plaisent, chacune à sa façon. J'ai décidé que ma future femme, sera l'objet d'un accident de parcours magique qui m'arrivera quand je m'y attendrai le moins, mais je saurai que c'est mon choix, parce qu'il m'appartiendra.

C'est aujourd'hui le lendemain d'un jour nouveau. Ce matin, je ne comprends pas le rêve que j'ai reçu dans les ténèbres de la veille.

Dans ce rêve, je m'éveille en pleine nuit et me retrouve face à Jeannette. Jovette dort, collée contre mon dos, un sourire béat sur le visage. Ouvrant grand ses yeux noirs de star des années cinquante, Jeannette m'indique l'espace au-dessus de nous.

Là, flottant au plafond comme un ectoplasme holographique, Jacinthe laisse pleuvoir, comme une manne, sur nous et notre couche, la gloire rayonnante de la connaissance. Triangle de lumière dont elle est le faîte, au centre duquel je suis assis comme une orbite ouverte...

Jacinthe, sur les épaules de laquelle mon ignorance avait plaqué des ailes d'argile, sur ses membres inférieurs une queue de sirène, et sur sa peau de pêche des écailles d'airain, Jacinthe n'est plus qu'un visage qui nous sourit, d'un sourire vaste comme une aurore boréale.

Son corps est une buée diaphane, son visage un miroir de sagesse qui absorbe et reflète le rayonnement émanant de ses deux soeurs. À la fin, ce tourbillon de visages féminins se fixe en celui d'une autre femme. Pas Jacinthe, Jeannette ou Jovette. Un visage, comme un tableau en deux dimensions, celui d'une femme sans identité. Inconnu. Indéchiffrable. Celui de La Femme ?

Ce rêve que je n'ai pas compris je me le suis fait expliquer par un vieux sage.

Trois femmes dont le nom commence par un J, représenté en hébreu par la lettre yod, traduit ou trahi par le fameux iota grec.

Yod, la plus petite lettre de l'alphabet de la création et la plus redoutable, parce que porteuse de l'essence même de la création. Minuscule yod qui ressemble à un spermatozoïde. Avec sa tête d'épingle et sa queue, le yod forme une virgule, *petite verge* en latin. L'essence de l'existence, conjuguée au présent, passé, futur. Le Yod courbé. Tranchant comme le sabre de la loi.

Le Yod du *Je Suis Celui Qui Suis*.

Ce Yod manquait à Abram, stérile comme moi. Ah, vous ne saviez pas ? Moi, c'est à cause d'un rein abîmé par un coup de pied, en prison, qui de temps en temps me fait boiter. Abram donc, était stérile jusqu'à ce qu'il rencontre Saraï, qui avait, comme toutes les femmes, un généreux Yod en trop qu'elle partagea avec lui.

C'est donc la femme qui doit donner à l'homme ce qui lui manque, le Yod partagé de la reproduction ou de la vivisection. C'est elle qui est à l'origine de la rencontre du cercle inclusif, et du sabre incisif qu'elle offre à l'homme en cadeau de noces. Ce qui coupe, -la loi, l'exclusion, la distinction-, rencontre ce qui inclus, -l'amour, la charité, l'inclusion-, pour fin de commencement du temps.

Le sabre fini et recourbé, à deux tranchants, rencontre la lune ronde et infinie de la féminité, le sperme rencontre l'ovule, manifestation dédoublée du divin. Ovule, lune ronde comme le point au bout de cette phrase. Ce qui tranche, -transcende, passe et meurt-, rencontre ce qui est immanent et régénère ce qui est permanent. Le point rencontre la virgule ?

Trois sœurs, trois Yod, fusion de la connaissance qui se divise et se multiplie à l'infini pour m'offrir une vision du futur qui peut être le mien, le vôtre, le nôtre.

Un futur, où, égrenant le chapelet béni des secondes, des minutes, des heures, des jours et des années qui nous séparent de la mort, nous chanterons la vie à l'unisson, d'un cœur net, d'une bouche propre et d'un œil aimant.

Fin

PS

Non, attendez, ce n'est pas la fin. Par ce matin qui chante des chansons de boyscout, je descends chercher mon courrier avant d'aller comme tous les jours prendre mon petit déjeûner au bistrot du coin. Dans la boîte, rien, ou plutôt de la matière circulaire à recycler immédiatement et, tiens ! Surprise ! Une lettre de Lily.

Je m'installe au fond du café pour siroter un Moka et décacheter cette missive inattendue, cette enveloppe enceinte de deux possibilités : papiers de divorce, ou note de Lily qui me demande de reprendre avec elle ?

Deux options, deux choix qui m'appartiennent.

À moi de décider ce que je dois lire… ou écrire.

Entre les cas un et deux que choisiriez vous à ma place ?

J'ai envie de soumettre ces deux alternatives à une consultation populaire. Si vous voulez voter pour l'option une ou deux, écrivez moi à …

Alexportugais@hotmail.com

Tapez mon adresse et ma bobinette cherra sur un site internaute. Non, laissez tomber ! Plutôt, c'est moi qui laisse tomber. J'ai eu la velléité saugrenue d'inscrire un formulaire de sondage d'opinion dans la marge d'un poster de moi en Robinson Crusoé. Si vous ne me croyez pas, essayez, tapez l'adresse. Vous verrez !

Moi, debout de plain pied, à la pêche sur un récif de corail dans les Keys. C'est fou ! Moi, bronzé, moitié nu en Floride ! Portrait de l'écrivain à la pêche au filet sur le net. Une drague semi-littéraire. Physiquement, trente ans trop tôt pour faire une indéchiffrable allusion à Hemingway à Cuba. Lui avait au moins le mérite médiatique d'une barbe blanche, la bedaine de l'emploi et comme sujet nobélisable, un combat à mort avec le Léviathan. Pas comme votre serviteur, une joute touristique avec un fretin de corail à griller sur barbecue improvisé.

Imaginez-moi sur un poster avec un marginal sondage d'opinion ! C'est désespérant ce sur quoi on peut fantasmer pour faire avancer son destin (j'allais dire, pour vendre des bouquins). Je ne peux tout de même pas plagier ce célèbre écrivain-publiciste qui sonne le glas de la disparition de la nation québécoise chaque fois qu'il sort un nouveau livre !

Mais voilà, il m'arrive un truc pas possible alors que je reviens à la réalité en prenant une gorgée chaude du liquide noir, sans sucre, avec un rond relent de noisette grillée. Je pose ma tasse sur la soucoupe avec ma main droite. Je soupèse l'enveloppe gémellipare de la gauche.

Option une ou deux ?

Comme la peau surprenante d'un serpent lent et tiède, un doigt file le long de mon cou jusqu'à mon sternum, s'enroule le long d'une chaînette avec mon numéro matricule de l'armée américaine et, avant que le doigt ne puisse tirer le collier hors du col de ma chemise, j'attrape la main et je me retourne.

- Lily !

- Alex…

- Assieds-toi. Tu m'attendais ?

- Oui, on m'a dit que tu n'allais pas tarder. J'ai pris le Challenger de maman ce matin, tu sais, le petit jet avec le futon en peluche… celui…

À l'évocation du futon rose alors que nous survolions à vingt mille pieds dans les airs le Grand Canyon du Colorado, Lily se met à rougir comme seule elle sait le faire.

Je change vite de sujet :

- J'ai reçu tes fleurs. Pourquoi tu n'es pas venue au lancement ?
- J'étais en clinique jusqu'à hier soir …
- Clinique ? À cause de ta mère ?
- Non, elle va bien. Enfin… elle est stable. Toujours à Scottsdale, en Arizona.
- Alors la clinique pourquoi ?
- Pour moi…
- Pour toi ? Tout va bien ?
- Plutôt…
Lily a l'air en forme, bronzée. L'exercice équestre lui a fait du bien. Elle fixe du regard l'enveloppe dans ma main gauche.
- Alors Lily, j'ouvre ta lettre ?
- Non. Je suis venue pour ça. J'ai préféré venir te le dire en personne…
- C'est grave ? J'écoute…
- Euh...
- Alors j'ouvre ?
- Non ! Je suis enceinte.
- Non tu es enceinte ?
- Non… Oui, je suis enceinte.
- Mais c'est impossible, tu le sais…
- Oui, je le sais, mais je le suis. Après l'histoire du test Wasserman, les administrateurs de mon *Trust Fund* ont insisté pour que je passe un examen médical complet. Tu comprends, moi malade, ils avaient le droit, l'obligation même, de mettre mes avoirs en tutelle.
- Manfred derrière tout ça ?
- Oui. Manfred et papa aussi. Pour Manfred les enjeux sont considérables. Il ne me voit pas comme une personne privée, alors je me suis méfiée. Quand j'ai commencé à avoir des nausées le matin, au ranch, j'ai coupé tout

207

contact avec l'extérieur, surtout avec toi. J'étais surveillée. Je me suis fait oublier pendant quelque temps et ensuite j'ai choisi une clinique sûre où j'ai subi une série de tests qui montrent que je suis en parfaite santé. Tests dont la clinique a envoyé copie à mes administrateurs pour qu'on me fiche la paix.

- Un vrai polar. Mais si Manfred voulait te retrouver ce n'était pas difficile. Où étais-tu ?

- À la clinique Casdorph à Phoenix, chez mon oncle. Tu connais le Dr. Casdorph, c'est le frère de maman. Ouvre la lettre, lis son rapport clinique. Je suis en excellente santé et enceinte.

- Impossible !

- Il n'y a aucun doute possible. C'est arrivé pendant notre voyage aux Keys. Regarde l'échographie.

Elle me tend une photocopie de quelque chose de vague. Une nébuleuse en noir et blanc.

- Regarde. C'est notre enfant. Le tien et le mien. Le nôtre, et en bonne santé.

Parfois l'avenir a une façon de vous souffler dessus plus fort que l'ouragan d'une fiction.

Ça, c'est la fin de l'histoire ou peut être son commencement ?